Rotfuchs

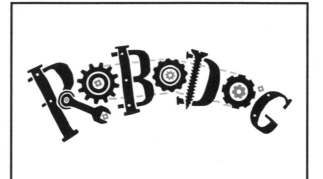

Bücher von *David Walliams*

Banditen-Papa

Billionen-Boy

Das Eismonster

Die Mitternachtsbande

Die schlimmsten Kinder der Welt

Die allerschlimmsten Kinder der Welt

Die schlimmsten Eltern der Welt

Fing

Gangsta-Oma

Gangsta-Oma schlägt wieder zu!

Gestatten, Mr. Stink

Kicker im Kleid

Propeller-Opa

Ratten-Burger

Spaceboy

Terror-Tantchen

Zombie-Zahnarzt

David Walliams

ROBODOG

Illustriert von
Adam Stower

Aus dem Englischen
von Bettina Münch

Rotfuchs

Die englische Originalausgabe erschien 2023
unter dem Titel «Robodog» bei
HarperCollins*Publishers* Ltd, London.

Deutsche Erstausgabe
Erschienen bei Rotfuchs, einem Imprint von Fischer Sauerländer
Copyright für die deutsche Übersetzung
© 2024, Fischer Sauerländer GmbH,
Hedderichstraße 114, 60596 Frankfurt am Main
«Robodog» Copyright © 2023 by David Walliams
Cover-Lettering des Autorennamens
Copyright © 2010 by Quentin Blake
David Walliams und Adam Stower
sind als Autor und Illustrator dieses Buches
urheberrechtlich geschützt
Die Nutzung unserer Werke für Text- und Data-Mining
im Sinne von § 44b UrhG behalten wir uns explizit vor.
Lektorat Eva Jaeschke
Satz aus der Dante MT
durch Konstantin Kleinwächter
Druck und Bindung CPI books GmbH, Leck
ISBN 978-3-7571-0023-0

Für Ernie & Bert,
meine geliebten beiden Pelzknäuel

DANKESCHÖNS

ICH BEDANKE MICH BEI ...

CALLY POPLAK

VERLEGERIN

CHARLIE REDMAYNE

CEO

ADAM STOWER

ILLUSTRATOR

PAUL STEVENS

LITERARISCHER AGENT

NICK LAKE

LEKTOR

VAL BRATHWAITE

KREATIV-DIREKTORIN

EINLEITUNG

*H*ast du schon einmal von einer Polizeikatze gehört?

NEIN!

Natürlich nicht!

So etwas gibt es nicht.

Hat es nie gegeben und wird es auch nie geben.

Polizeikatzen wären absolut nutzlos. Katzen tun nämlich nichts, was sie nicht tun wollen.

Kann man einer Katze beibringen, einen Räuber **ANZUMIAUEN**? Nein.

Kann man einer Katze beibringen, Juwelen zu **bewachen**? Unwahrscheinlich.

Kann man einer Katze beibringen, einen Verbrecher zu jagen? Nie im Leben!

Kann man einer Katze überhaupt etwas beibringen? DICKES, FETTES **NEIN.**

Katzen sind faul. Egoistisch. Und unverschämt.

Bitte verrate keiner Katze, dass ich so etwas über sie geschrieben habe. Falls doch, könnte es sein, dass du eines Tages irgendwo liest, ich sei auf mysteriöse Weise an einem Fellknäuel erstickt.

Ich will damit keineswegs sagen, dass ALLE Katzen böse sind. Bloß neunundneunzig Prozent von ihnen.

Hunde dagegen sind das glatte Gegenteil.

Hunde wollen gefallen. Sie wollen geliebt werden. Aber vor allen Dingen – tun Hunde für ein Leckerli einfach alles.

Deshalb sind Hunde die perfekten Partner für die Polizei. Und sie werden von Polizeibehörden auf der ganzen Welt eingesetzt.

Wie wir alle wissen, gibt es Hunde in allen möglichen Formen und Größen.

Winzige. Riesige.

Leise. Laute.

Schwache. Starke.

Haarlose. Pelzige.

Langsame. Schnelle.

Da die unterschiedlichen Hunderassen für unterschiedliche Aufgaben mehr oder weniger gut geeignet sind, bildet die Polizei viele verschiedene Hunde aus.

Hier sind nur einige der Rassen, die in einer **POLIZEIHUNDESCHULE** ausgebildet werden:

Der starke Deutsche Schäferhund: Ist perfekt geeignet, um Räuber zur Strecke zu bringen.

«UFF!»

Der Bluthund: Mit seiner großen Supernase ist er zur Verfolgung von flüchtigen Verbrechern wunderbar ausgestattet.

«SCHNÜFF!»

Der laute **Spaniel:** Kein Hund kann Bösewichte lauter anbellen.

Der superschnelle **Windhund:** Überbringt blitzschnell Nachrichten von einer Polizeikraft zur nächsten.

F L I T Z !

Der eifrige **Terrier:** Ist immer stolz, wenn er in einer Polizeistation patrouillieren kann.

TRAB, TRAB, TRAB!

Der mutige **Schnauzer:** Dieser Hund würde alles tun, um seinen Polizeikumpel zu beschützen.

Der Supernasen-**Beagle:** Erschnüffelt übles Schmuggelgut in jedem Koffer.

Aber was wäre, wenn ein einziger Hund alle diese Aufgaben erfüllen könnte und noch mehr dazu? Er wäre der beste Polizeihund aller Zeiten.

Mach dich bereit für ROBODOG: Die Zukunft der Verbrechensbekämpfung.

HIER KOMMEN

DIE HELDEN

UND

DIE SCHURKEN

DIESER GESCHICHTE ...

DIE HELDEN

DER ROBOTER

ROBODOG

Robodog ist der beste Polizeihund, der je gebaut
wurde.

DIE RATTE

RATTI

Ratti sieht aus wie eine Ratte, riecht wie eine Ratte
und verhält sich auch wie eine Ratte, besteht aber
darauf, eine Maus zu sein.

DIE MENSCHEN

DIE CHEFIN

Diese ungewöhnlich kleine Frau bekleidet das mächtige Amt der Polizeidirektorin. Sie befehligt die Polizeikräfte von Tumult und hegt ein besonderes Interesse für ihre Polizeihundeschule.

DIE PROFESSORIN

Die Professorin ist die Frau der Chefin und eine Erfinderin. Sie arbeitet in einem Laboratorium im Keller ihres herrschaftlichen alten Landhauses, das Haus Fussel heißt.

DER GENERAL

Der General ist der angeberische Anführer der Armee.

DIE HUNDE

DRÜCKER

Der Ängstliche.

KNORPEL

Der Faulpelz.

HONKI

Die Belämmerte.

DIE SCHURKEN

DIE KATZEN

VELMA

Velma gehört der Chefin und der Professorin, sieht die Sache aber genau andersherum. Die beiden gehören ihr! Sie verabscheut Hunde mit wilder, finsterer Inbrunst. Sobald ein Hund Haus Fussel betritt, fliegen die Fetzen.

SCHLITZER

Schlitzer ist die furchterregendste Kreatur, die man sich vorstellen kann. Quer über das Gesicht des Katers verläuft eine riesige Narbe, die von einem Kampf gegen ein Rudel Wölfe herrührt. Die Wölfe haben verloren.

ZAUSEL

Dieser Straßenkater ist so alt, dass sich niemand mehr erinnern kann, wie alt er eigentlich ist. Nicht einmal er selbst.

PAVAROTTI

Pavarotti ist der dickste Kater der Welt. Er lässt sich am liebsten in einer Schubkarre herumschieben.

GIGA-GRIPS

Dieser Meisterverbrecher steckt hinter fast allen Raubüberfällen in Tumult. Weil er schon lange keinen Körper mehr hat, schwebt sein Megahirn jetzt in einer Glaskugel umher.

HAMMERHAND

Die Gehilfin von GIGA-GRIPS ist eine kleine, runde Frau, die dort, wo ihre Hände sein sollten, riesige Hämmer hat. Und sie hat keine Angst, diese Hämmer zu benutzen.

DIE MASKIERTE GURKE

Die Maskierte Gurke ist eine Frau,
die Feuer furzt.

DER DICKE DÖDEL

Ein Mann, so groß wie
ein Haus. Kein sehr
großes Haus, aber
dennoch ein Haus.

DER KONFEKTMACHER

Vorsicht vor Pralinen mit Kaffee-geschmack! Sie sind irgendwo in seiner Pralinenschachtel versteckt!

FRAU DR. STINK

Ihr Mundgeruch ist so übel, dass man grün anläuft, bevor man stirbt.

DIE EISKÖNIGIN

Diese königliche Schurkin kann dich mit einer Berührung ihres kleinen Fingers in einen Eiszapfen verwandeln.

DAS KITZELMONSTER

Ein Wesen mit unglaublich langen Armen,
das dich zu Tode kitzeln kann.

DER ZWEIKÖPFIGE OGER

Kann sich einfach nicht mit sich selbst
einig werden.

DIE FIESE DIREKTORIN

Ihre Geheimwaffe sind Hausaufgaben, Hausaufgaben und noch mehr Hausaufgaben.

DIE POLITIKERIN

Sie kann dich mit einem einzigen Satz zu Tode langweilen!

PROFESSOR KALMAR

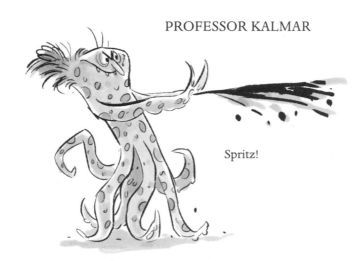

Spritz!

DER RIESENWURM

Ein riesiger Wurm.

WILLKOMMEN IN
TUMULT
EINTRITT NUR FÜR MUTIGE

TUMULT ist eine Stadt, in der die Unterwelt aus ihren finsteren Verstecken hervorgekrochen ist und die Kontrolle übernommen hat.

Sie ist kalt. Sie ist dunkel. Und sie ist hässlich.

Der rattenverseuchte Großstadtdschungel ist nicht nur schmutzig, sondern auch einer der gefährlichsten Orte der Welt. **TUMULT** hat sich zur Heimat einer ganzen Galaxie von Gangstern entwickelt, die die guten Menschen dieser Stadt einer Schreckensherrschaft unterworfen haben. Nichts und niemand ist vor diesen Verbrechern sicher.

Um die **Superschurken** zu besiegen, braucht die Stadt einen **Superhelden**.

Aber wer könnte das sein?

KARTE VON TUMULT

Der Fluss Moder

Stadtgefängnis

Ozean

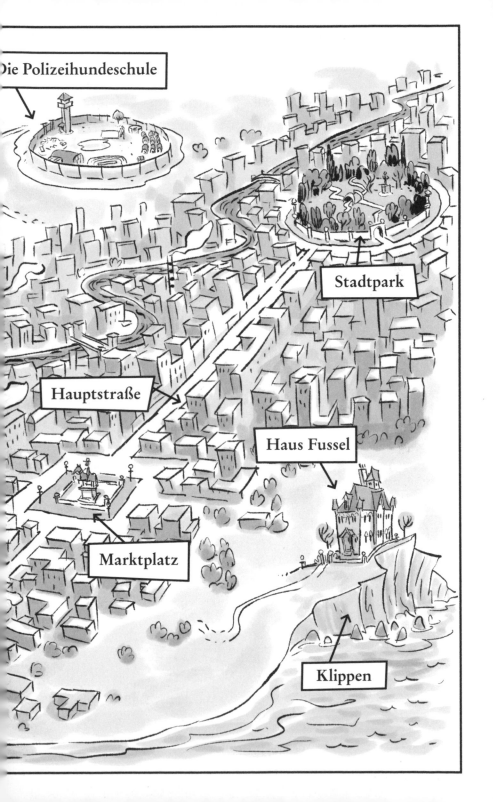

DIE VERLORENE PATROUILLE

TUMULT war ein Pickel auf dem Antlitz der Erde.

Über engen Gassen erhob sich ein Wald aus baufälligen Gebäuden und hüllte sie in ewigen Schatten.

Überall huschten Ratten herum.

An den Straßenecken türmte sich der Müll.

Der Fluss war tiefbraun gefärbt.

Und eine dichte Smogwolke hing als übler Gestank über der Stadt.

Früher war **TUMULT** die Heimat der Träume ganz normaler Menschen gewesen; jetzt war es ein Ort der *ALBTRÄUME*.

Obwohl das Stadtgefängnis überfüllt war mit den schlimmsten Verbrechern aller Zeiten, kamen in **TUMULT** ständig neue nach. Das jüngste Verbrecher-Duo, das die Titelseiten des **TUMULTER TAGEBLATTS** füllte, waren *GIGA-GRIPS* und seine Gehilfin **Hammerhand**.

TUMULTER TAGEBLATT

TEUFLISCHES DUO STIEHLT
KOSTBARES GEMÄLDE

Und dies waren nur die neuesten einer langen Reihe von Schlagzeilen.

TUMULTER TAGEBLATT

GIGA-GRIPS
SCHLÄGT MITTEN
IN DER NACHT ZU

TUMULTER TAGEBLATT

RIESIGES HIRN IN
EINER GLASKUGE
HÄLT ZUG AN

TUMULT mochte ein gesetzloser Ort sein, aber es war nicht ohne Hoffnung.

Die kleinste Mitarbeiterin der Polizeibehörde war gleichzeitig auch die fähigste. Sie hatte schon als Kind die Schläger auf dem Spielplatz verhaftet. Sobald sie mit der Schule fertig gewesen war, ging sie zur Polizei und kämpfte seitdem an vorderster

Front gegen das Verbrechen. Inzwischen war die Frau älter und hatte es zur Polizeidirektorin von **TUMULT** gebracht. Sie wurde von allen einfach nur «Chefin» genannt, sogar von ihrer Frau, einer Erfinderin, die von der Chefin «Professorin» genannt wurde.

Eine der großartigen Ideen der Chefin war die Eröffnung von **TUMULTS** erster Polizeihundeschule. Die Chefin war überzeugt, dass sich Hunde als mächtige Waffe erweisen und die Kriminellen der Stadt daran hindern könnten, vollends die Macht zu übernehmen. Anfangs behielt sie damit recht. Die Polizeihunde-Truppe hatte, zusammen mit ihren menschlichen Partnern, einige von **TUMULTS Superschurken** vor Gericht gebracht. Dank der tapferen Hunde saßen diese **Superschurken** nun im **TUMULTER** Stadtgefängnis hinter Gittern. Doch mit jeder Woche tauchten mehr **Superschurken** auf, und manchmal schien es, als würde die Polizei den Kampf verlieren.

Die Chefin hatte am Stadtrand ein verlassenes Trainingslager der Armee aufgetan und zu einer Schule für Polizeihunde umbauen lassen.

Wachturm
Auf dem Turm waren Polizeibeamte mit Suchscheinwerfern stationiert, um die Schule vor Angriffen zu schützen. Man konnte nie wissen, wann und wo die Schurken von Tumult das nächste Mal zuschlugen.

Große Stahltore, die die Hunde in der Anlage und streunende Katzen draußen hielten.

Hindernisparcours
Der ultimative Konditionstest für die Hunde.

Teich
Perfekt zum Üben von waghalsigen Rettungsmanövern im Wasser.

Die Kantine
Der Lieblingsort der Hunde, an dem sie ihr ABENDESSEN bekamen!

Übungsfeld
Hier fanden jeden Morgen die gefürchteten Läufe im Morgengrauen statt.

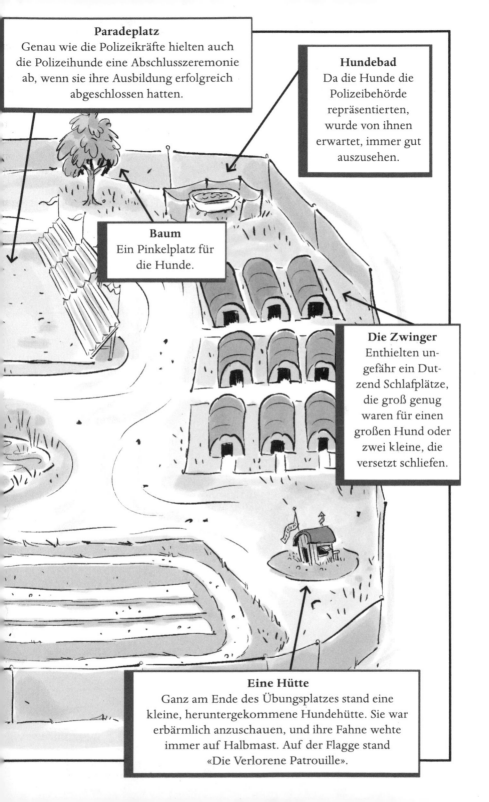

Paradeplatz
Genau wie die Polizeikräfte hielten auch die Polizeihunde eine Abschlusszeremonie ab, wenn sie ihre Ausbildung erfolgreich abgeschlossen hatten.

Hundebad
Da die Hunde die Polizeibehörde repräsentierten, wurde von ihnen erwartet, immer gut auszusehen.

Baum
Ein Pinkelplatz für die Hunde.

Die Zwinger
Enthielten ungefähr ein Dutzend Schlafplätze, die groß genug waren für einen großen Hund oder zwei kleine, die versetzt schliefen.

Eine Hütte
Ganz am Ende des Übungsplatzes stand eine kleine, heruntergekommene Hundehütte. Sie war erbärmlich anzuschauen, und ihre Fahne wehte immer auf Halbmast. Auf der Flagge stand «Die Verlorene Patrouille».

Die «Verlorene Patrouille» war der Spitzname des Hunde-Trios, das in der Hütte lebte.

Sie wurden so genannt, weil sie schon viele Jahre in der Hundeschule waren, sie aber nie bestanden hatten. Die drei Hunde mussten die Ausbildung wieder und wieder absolvieren, weil sie entweder zu ängstlich, zu faul oder zu dumm waren.

Lernen wir sie kennen:

Drücker

Drücker war zwar ein großer, kräftiger Deutscher Schäferhund, aber schrecklich ängstlich. Der arme Kerl fürchtete sich vor jedem Floh.

Honki

Das Bluthund-Weibchen war die Dumme von den dreien, und wenn ich «dumm» sage, meine ich damit superdumm. Honki war so dumm, dass sie manchmal sogar vergaß, dass sie ein Hund war.

Knorpel

Ein Beagle. Der Kleinste war gleichzeitig auch der Faulste. Wenn man ihn ließ, schlief Knorpel den ganzen Tag.

Die drei Mitglieder der Verlorenen Patrouille waren bekannt für einige der schlimmsten HUNDE-KATASTROPHEN überhaupt!

Einmal hatte sich Drücker unter einem Stuhl versteckt und die Polizeichefin aus Versehen mit seinem Schwanz am Hintern gekitzelt.

«HA! HA! HA!»

Oder der Tag, an dem Knorpel ein Polizeimotorrad klaute, um nicht am Geländelauf teilnehmen zu müssen.

W R O O M !

Und wer erinnerte sich nicht an den Tag, an dem Honki den Präsidenten bei seinem Besuch mit einem Räuber verwechselte und ihn vor der ganzen Schule zu Boden warf?

«AHHH!»

Das traurige Trio lebte nun schon länger in der **POLIZEIHUNDESCHULE**, als sich die Hunde erinnern konnten, vor allem Honki. Sie konnte sich kaum an ihren eigenen Namen erinnern. Trotzdem hatte die Chefin noch Hoffnung, dass die drei es in diesem Jahr vielleicht mit Ach und Krach schaffen und endlich in den Straßen von **TUMULT** patrouillieren, die Kriminalität bekämpfen, Böse-wichte fangen und große, glänzende Orden für ihre Tapferkeit erhalten würden.

Wie sehr sie sich doch irrte.

HUNDE-KATASTROPHEN

Unser Abenteuer beginnt am Morgen der **Abschlusszeremonie**. Es war ein große Tag, an dem die Rekruten nach Abschluss ihrer Ausbildung endlich erfuhren, ob sie bestanden hatten und in Zukunft als Polizeihund arbeiten durften.

Es war ein nebliger Morgen, kalt, feucht und dunkel, wie die meisten Tage in **TUMULT**.

Die Hunde aber sahen aus wie aus dem Ei gepellt. Ihr Fell war getrimmt. Die Klauen poliert. Die Zähne geputzt. Die Pfoten gewaschen. Die Hinterteile gekämmt.

Selbst die Verlorene Patrouille sah vorzeigbar aus.

Drücker hatte gebadet.

Knorpel hatte eine seiner Pfoten geleckt.

Und Honki war in den Teich gefallen.

Nachdem sie sich auf dem Weg zum **Parade-platz** nicht nur einmal, zweimal, dreimal …

DAS DAUERT ZU LANG!

… SONDERN SIEBENMAL verlaufen hatten, nahm die Verlorene Patrouille schließlich für die **Abschlusszeremonie** ihren Platz neben den anderen Hunden ein.

«Jetzt, da wir alle versammelt sind», sagte die Chefin spitz und funkelte die drei Spätankömmlinge an, «können wir endlich anfangen.» Die Spitze ihrer Dienstmütze ragte gerade eben so über das Rednerpult. Die Chefin mochte nicht sehr groß sein, aber sie war **streng** und verlangte immer volle Aufmerksamkeit.

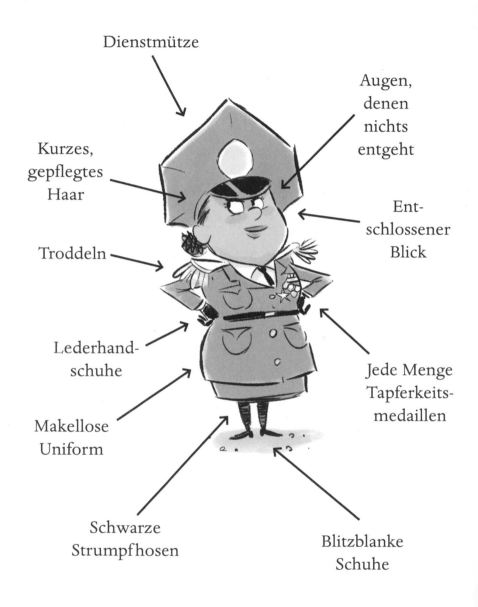

Dienstmütze

Augen, denen nichts entgeht

Kurzes, gepflegtes Haar

Ent-schlossener Blick

Troddeln

Lederhand-schuhe

Jede Menge Tapferkeits-medaillen

Makellose Uniform

Schwarze Strumpfhosen

Blitzblanke Schuhe

«Wie ihr alle wisst, ist **TUMULT** die Heimat einiger der abscheulichsten Verbrecher, die die Welt je gesehen hat. Erst letzte Nacht wurden alle Schätze aus dem städtischen Museum gestohlen.»

Die Chefin hielt eine Ausgabe des **TUMULTER TAGEBLATTS** in die Höhe. Die Schlagzeile lautete …

Den Hunden verschlug es den Atem.

«**TUMULT** braucht Hunde wie euch an der vordersten Front der Polizeiarbeit so dringend wie nie zuvor. Gut gemacht: Ihr habt im letzten Jahr alle sehr hart gearbeitet und seid nun im Begriff, endlich Polizeihunde zu werden», sagte die Chefin.

Die Hunde bellten zustimmend.

«Wuff! wuff! Wuff!»

«Der heutige Tag erfüllt nicht nur mich mit Stolz – auch ihr könnt stolz sein. Es ist der größte Tag im Leben eines jeden Hundes. Der Tag, an dem ihr endlich aktive Mitarbeiter der Polizei werdet! Dass ihr alle Prüfungen bestanden habt, macht euch zu den Besten der Besten. Dafür könnt ihr euch auf die Schulter klopfen!»

Das war nur eine Redewendung. Die Chefin meinte damit natürlich nicht, dass sie sich wirklich auf die Schulter klopfen sollten. Und es gab nur einen einzigen Hund auf dem **Paradeplatz**, der das nicht verstand.

Honki.

Die Hündin hob die Vorderpfote und versuchte sich selbst auf die Schulter zu klopfen, was viel schwieriger war als gedacht. Dann probierte Honki es mit der Hinterpfote. Dabei verlor sie auf der Stelle das Gleichgewicht und fiel gegen Drücker.

«UFFF!»

Drücker fiel auf Knorpel.

«AH!»

Und Knorpel stürzte zu Boden.

Der Beagle war k. o. geschlagen.

BONG!

«Und jetzt ist es Zeit», fuhr die Chefin stolz fort, «dass ihr euch in einer Reihe aufstellt und einer nach dem anderen nach vorn kommt, damit ich euch die Pfote schütteln und bei der **TUMULTER** Polizei willkommen heißen kann!»

Also traten die Hunde vor und bildeten eine Schlange. Kurz darauf hatten sich alle einhundert Hunde aufgestellt, bereit, vor die Chefin zu treten. Die Hunde waren perfekt verteilt, wie eine Reihe von Dominosteinen, die nur darauf warten, umzufallen.

Was konnte da schon schiefgehen?

Wie sich herausstellte ... **ALLES!**

DER FELLBERG

Sobald er aus seiner Ohnmacht erwachte, machte sich Knorpel auf den Weg ans Ende der Schlange. Da er immer noch ein bisschen benommen war, stolperte er dabei über seine eigenen Pfoten.

WACKEL!

Knorpel taumelte vorwärts. Sein Kopf war dort, wo sein Hintern sein sollte, und sein Hintern da, wo sein Kopf sein sollte. Deshalb sah er auch nicht, wo er hinlief. Aber das spielte keine Rolle, denn er lief ohnehin zu schnell, um noch stehen zu bleiben. Er lief auf Drücker auf, der gegen Honki stieß, die gegen den nächsten Hund stieß, der gegen den nächsten stieß, …

Schon bald purzelten einhundert Hunde übereinander.

Sie rollten gemeinsam nach vorn. Eine unaufhaltsame Kraft! EINE FLUTWELLE VON HUNDEN!

Nasen. Beine. Ohren. Zungen. Pfoten. Schwänze. Bäuche. Rücken. Hintern. Alles war ineinander verheddert.

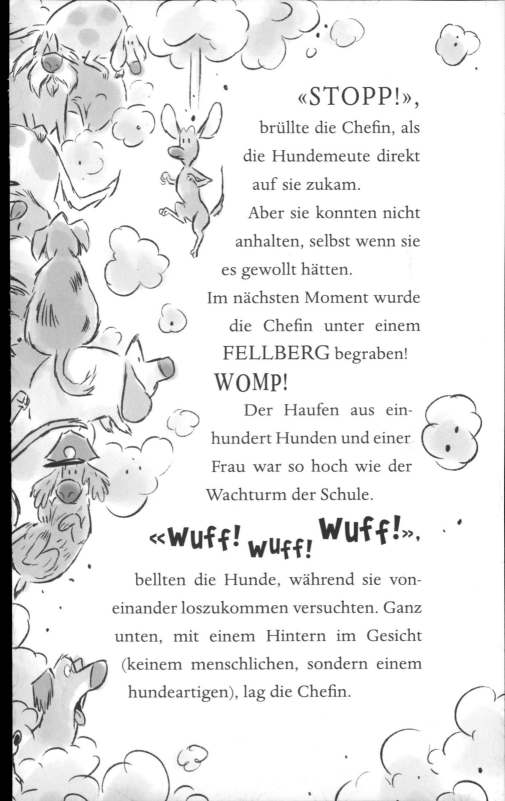

«STOPP!»,
brüllte die Chefin, als
die Hundemeute direkt
auf sie zukam.

Aber sie konnten nicht
anhalten, selbst wenn sie
es gewollt hätten.

Im nächsten Moment wurde
die Chefin unter einem
FELLBERG begraben!

WOMP!

Der Haufen aus ein-
hundert Hunden und einer
Frau war so hoch wie der
Wachturm der Schule.

«Wuff! wuff! Wuff!»,

bellten die Hunde, während sie von-
einander loszukommen versuchten. Ganz
unten, mit einem Hintern im Gesicht
(keinem menschlichen, sondern einem
hundeartigen), lag die Chefin.

Als sie schließlich mit einem kleinen Hund auf dem Kopf wieder auftauchte, schäumte sie vor Wut.

Ihr Gesicht war **krebsrot**, und aus ihren Ohren quoll Dampf. Ihre tadellose Uniform war verdreckt und zerrissen.

«Das war's!», schrie die Chefin. «IHR SEID ALLE DURCHGEFALLEN! DIESES JAHR WIRD KEINER VON EUCH EIN POLIZEIHUND!»

Alle Augen richteten sich auf Knorpel.

«GRRR!», knurrten die Hunde wütend.

Knorpel schaute sich um, als könnten sie unmöglich ihn meinen.

«Hab ich irgendwas gesagt?», fragte er ahnungslos.

Von diesem Moment an wurden die Mitglieder der Verlorenen Patrouille ganz und gar zu Außenseitern. Die anderen Hunde waren stinksauer. Sie mussten alle ein weiteres Jahr trainieren.

ES WAR EINE **KATASTROPHE**.

Von nun an wurden die Mitglieder der Verlorenen Patrouille ständig schikaniert.

Man kniff ihnen in die Ohren.

Man stahl ihre Leckerlis.

Man pinkelte an ihre Hütte.

Man zerriss ihr Spielzeug.

Man stieß ihre Wassernäpfe um.

Man riss sie am Schwanz.

Man zerkaute ihre Halsbänder.

Man kitzelte sie an den Pfoten.

Man vergrub ihre Knochen.

Und am schlimmsten von allem: Man furzte in ihr Futter!

FRRT! FRRT! FRRT!

Ich sagte doch, dass es **schlimm** war.

«Bilde ich mir das nur ein, oder sind die anderen Hunde ein bisschen komisch zu uns?», wunderte sich Knorpel.

«Ja, sie sind alle so nett!», erwiderte Honki.

«NEIN! SIND SIE NICHT!», rief Drücker. «Sie behandeln uns furchtbar!»

Die drei Hunde hockten in ihrer kleinen Hütte

am entlegensten Ende des **Paradeplatzes**. Die jämmerliche Fahne mit der Aufschrift «Die Verlorene Patrouille» wehte wie immer auf Halbmast an ihrer Stange auf dem Dach.

«Es kam mir vor, als hätte mein Frühstück heute anders geschmeckt», meldete sich Honki wieder zu Wort.

«Ja! Hat es! Es hat furzig geschmeckt!», antwortete Knorpel.

«Kann man das so in Dosen kaufen?», fragte Honki.

«Nein! Kann man nicht!», rief Drücker.

«Schade», meinte Honki.

«Verstehst du denn nicht?», rief Drücker. «Sie haben unser Futter vollgefurzt! Die anderen Hunde tun alles, um uns das Leben zu vermiesen!»

«Und weswegen?», fragte Knorpel.

«Wegen dem, was du getan hast!», antwortete Drücker. «Weil wir wegen dir alle übereinander gefallen und als riesiger Fellberg auf der Polizeichefin gelandet sind!»

«Und das war MEINE Schuld?», fragte Knorpel mit Unschuldsaugen.

«JAWOHL!»

Knorpel hielt sich mit der Pfote die Augen zu, machte einen Satz in die Ecke und warf sich hin.

DONG!

Dann fing er an zu winseln, denn er tat sich mächtig leid.

«JAUUU!»

Die Mitglieder der Verlorenen Patrouille ahnten nicht, dass ihnen das Schlimmste noch bevorstand.

DIE BÖSARTIGSTE KATZE DER WELT

Zur gleichen Zeit raste auf der anderen Seite von **TUMULT** die Chefin in ihrem Polizeiauto nach Hause. Sie war so voller Hundehaare, dass sie aussah wie ein Yeti.

FINDE DEN UNTERSCHIED

POLIZEIDIREKTORIN

YETI

Die Chefin war gedemütigt worden. Das durfte nie wieder passieren. Ihre Gedanken rasten genauso schnell wie ihr Wagen. Es musste eine andere Lösung geben!

Sobald sie in **Haus Fussel,** ihrem herrschaftlichen Landhaus am Rand einer Klippe, ankam, rief sie nach ihrer Frau.

Die Professorin kam sofort aus ihrem **LABOR** gerannt und versuchte mit ihrer Fusselrolle die Hundehaare von der Uniform der Chefin zu entfernen. Die Professorin war eine Tüftlerin und sah auch so aus.

Wilde Haare

Kuchen-krümel

Aus-laufender Füller in der Tasche

Versengter Laborkittel

Brille an einer Kette

Unterschiedliche Strümpfe

Tee-flecken

Latschen

Die Professorin verbrachte ihre Tage zwischen Reagenzgläsern, Bunsenbrennern und Gummischläuchen in ihrem **LABOR** im Keller von *Haus Fussel*. Sie war durch die Erfindung einer Superduper-Waschmaschine berühmt geworden, die zum Waschen und Trocknen der Wäsche nur eine Minute brauchte. Trotzdem war sie ständig bestrebt, etwas noch Größeres und **Besseres** auszutüfteln.

«Nur ein klein wenig mehr. Noch ein klein wenig mehr. Ein klein wenig mehr», sagte die Professorin bei jeder Umdrehung ihrer Fusselrolle.

«Das sagst du ununterbrochen!», fauchte die Chefin, die immer noch von einer dicken Fellschicht bedeckt war.

«Halt still!»

«Ich halte ja still! Du schiebst nur das Fell hin und her.»

«Nein, tue ich nicht! Sieh doch!», rief die Professorin. Sie hielt die Rolle hoch, die nun aussah wie ein riesiger Fell-Lolly.

«Schnaub!», schnaubte die Chefin.

Velma sah dem Ganzen vom Sofa aus verächlich zu. Velma war eine Katze, oder besser gesagt, ein riesiges graues Fellknäuel mit vier Beinen und einem aufgestellten Schwanz. Wie die meisten Katzen war Velma die eigentliche Herrin in dem Haus, das sich die beiden Frauen teilten.

Und diese Katze **hasste** Hunde.

Katzen und Hunde sind seit jeher eingeschworene Todfeinde, aber Velma war schlimmer. Velma war die bösartigste Katze der Welt. Sie wollte Hunde für alle Zeiten ausrotten. Velma hockte den ganzen Tag regungslos auf der Gartenmauer und wartete darauf, dass ein Hund vorbeikam. Sobald das geschah, spuckte sie ein riesengroßes Fellknäuel aus und feuerte es wie eine Kanonenkugel auf den Hund ab.

HUST!

W U S C H !

«WINSEL!»

Dann grinste sie fies und fletschte die Zähne, dass die Hunde vor Angst jaulend davonliefen.

«JAUU!»

Velma war schlau. Sie erkannte Hundehaare sofort und duldete sie nicht in IHREM Haus. Sie wartete also geduldig, bis die Professorin ihre fellbedeckte Fusselrolle in die Höhe hielt, und nutzte dann den Moment, um einen tornadoartigen Nieser loszulassen.

«HATSCHIIIIIIIIIII!»

Der Nieser hatte eine solche Wucht, dass er die Fellmasse von der Rolle wehte, direkt ins Gesicht der Professorin.

W U S C H !

Es sah aus, als hätte sie sich in einen Werwolf verwandelt.

«TII! HII! HII!», kicherte Velma.

«Ich habe nachgedacht», sagte die Chefin da.

«Das sieht dir gar nicht ähnlich», scherzte die Professorin, während sie sich die Haare einzeln aus dem Gesicht zupfte.

Die beiden Frauen war schon ihr ganzes Erwachsenenleben zusammen. Sie liebten sich sehr, aber das hielt sie nicht davon ab, sich hin und wieder zu necken. Es sorgte nur dafür, dass sie sich umso mehr liebten.

«Schnaub!», schnaubte die Chefin erneut.

«Rede weiter ...»

«Als ich unter diesem Berg von Hunden lag, hatte ich eine Idee.»

«Ach! Nun sag schon!»

«Wie du weißt, haben wir bei der Polizei viele verschiedene Hunderassen, die für verschiedene Aufgaben zuständig sind.»

«Ja, natürlich.»

«Also, warum legen wir uns keinen Hund zu, der alle Aufgaben erledigen kann?»

«Weil es auf der ganzen Welt keinen Hund gibt, der gleichzeitig Spürhund **UND** Wachhund **UND** Jagdhund ist!»

«Nein. Noch nicht! Aber du könntest einen bauen.»

«Ich?»

«Ja. Du bist doch eine Tüftlerin, oder etwa nicht, Professorin?»

Die Professorin schaute an sich herab, auf ihren weißen **LABORKITTEL**, die unterschiedlichen Socken und die Latschen. «Sieht ganz danach aus!»

«Nun, ich hatte die Idee, dass du einen Roboter-Polizeihund bauen könntest!»

«Einen *was?*», stammelte die Professorin.

«So eine Frechheit!», fauchte Velma vor sich hin.

«Diese Dreistigkeit! Ein Hund! In einem Katzen-haushalt! NIEMALS!»

«Ein Roboter-Polizeihund!», wiederholte die Chefin. «Einen Hund, der aufspüren, bewachen, jagen und alles kann, was ein Polizeihund können muss, und noch mehr. Und wir könnten ihn ... ROBODOG nennen!»

Die Professorin traute ihren Ohren nicht. «Ich erfinde Waschmaschinen! Keine Roboterhunde!»

«Das ist doch alles dasselbe, oder nicht?», meinte die Chefin.

«Würdest du einen Hund deine Unterwäsche waschen lassen?»

«Nein.»

«Und wenn du ein Stöckchen wirfst, glaubst du, eine Waschmaschine holt es für dich zurück?»

Die Chefin überlegte kurz, ehe sie antwortete: «Nein.»

«Dann ist es wohl nicht alles dasselbe», entgegnete die Professorin und verschränkte die Arme.

Die Chefin stutzte und begann zu lächeln. Es musste doch einen Weg geben, zur Liebe ihres

Lebens durchzudringen. «Es ist nicht genau dasselbe, das stimmt, aber du bist ein solches Genie, meine geliebte Professorin. Ich weiß einfach, dass du das schaffen kannst!»

«Aber ...»

«Heute Morgen hat mich der Präsident persönlich angerufen, um mir zu sagen, dass er die Armee entsenden wird, wenn es mir nicht gelingt, die Flut der Verbrechen in **TUMULT** einzudämmen.»

«Die Armee!»

«Es ist beschämend!», sagte die Polizeichefin. «Ich habe dieser Stadt mit Blut, Schweiß und Tränen gedient!»

«Niemand hat mehr für die Verbrechensbekämpfung getan als du.»

«Also hilfst du mir bitte, mein lieber, lieber Schatz? **TUMULT** braucht dich!»

Die Professorin seufzte. «Ich werde mein Bestes tun.»

Die Chefin nahm sie in die Arme.

«ICH LIEBE DICH!»

EPISODE FÜNF

DAS GEHEIMLABOR

Die Professorin eilte die lange Wendeltreppe hinunter in den Keller des Landhauses. Dort machte sie sich in ihrem geheimen **LABOR** sofort ans Werk. Sie entwarf. Baute. Programmierte.

Da die Professorin die schnellste Waschmaschine der Welt entwickelt hatte, waren davon noch abertausend Teile für ihre neue Erfindung übrig.

Knöpfe

Schalter

Riemen

Gummischläuche

Muttern

Schrauben

Glasscheiben

Metallbleche

Elektrokabel

Platinen

Für alles, was sie nicht hatte, Waffen zum Beispiel (Waschmaschinen verfügen nur selten über Raketen), wurde die Chefin losgeschickt, um es zu besorgen.

Auch wenn sie eine geniale Erfinderin war, hatte die Professorin noch nie einen Roboter gebaut, geschweige denn einen Roboterhund oder gar einen Roboter-Polizeihund. Trotzdem **übertraf** sie sich wieder einmal selbst. Sie arbeitete Tag und Nacht an ihrer Erfindung.

Tage vergingen.

Wochen.

Monate.

Manchmal, wenn die Professorin gerade nicht hinsah, schlich sich Velma in das LABOR. Dort lauerte sie dann im Dunkeln und beobachtete heimlich und leise, wie die Tüftlerin alle Teile sorgfältig zusammensetzte.

«Ich werde diesen Roboterhund zerstören, und wenn es **das Letzte** ist, was ich tue!», zischte Velma vor sich hin.

Einmal, als die Professorin gerade von einer Toilettenpause zurückkam, stürmte Velma auf dem Weg nach draußen an ihr vorbei.

«VELMA!», rief die Professorin, die von der wild gewordenen Fellkugel fast umgeworfen wurde.

Doch die Katze blieb weder stehen, noch gab sie einen Ton von sich. Es sah so aus, als trüge Velma etwas im Maul, aber sie war so schnell, dass man es einfach nicht genau sagen konnte.

In der Zwischenzeit geriet die Chefin immer mehr unter Druck. **TUMULT** wurde allmählich zu einem gesetzlosen Ort. *GIGA-GRIPS* und **Hammerhand** terrorisierten die Stadt mit ihren Verbrechen.

Schließlich war die Professorin bereit, ihre Schöpfung vorzuzeigen. Es war mitten in der

Nacht, als sie mit der Konstruktion von Robodog fertig wurde. Sie lief nach oben, um ihre Frau zu wecken, die im Bett lag und tief und fest schlief, während Velma es sich auf ihrem Kopf gemütlich gemacht hatte.

«WACH AUF!», rief die Professorin und rüttelte ihre Frau.

«**FAUCH!**», fauchte Velma, als sie vom Kopf der Chefin glitt.

Die Chefin schlug die Augen auf und griff nach dem Wecker. «Es ist mitten in der Nacht! Wenn sie nicht ganz **TUMULT** in Schutt und Asche gelegt haben, hat es Zeit bis morgen früh!»

«Nein!», rief die Professorin. «Ich bin fertig! Komm und sieh es dir an!»

Die Professorin zerrte die Chefin in ihrem gestreiften Schlafanzug die Treppe hinunter.

Velma folgte ihnen in diskretem Abstand.

Als die beiden Frauen im Keller ankamen, zog die Professorin wie eine Magierin ein Tuch von ihrer Erfindung und rief:

«TA-DA!

BITTE BEGRÜSSE MIT MIR ...

ROBODOG!»

Die Chefin riss staunend die Augen auf, als sie den Roboterhund erblickte.

DAS IST ROBODOG:

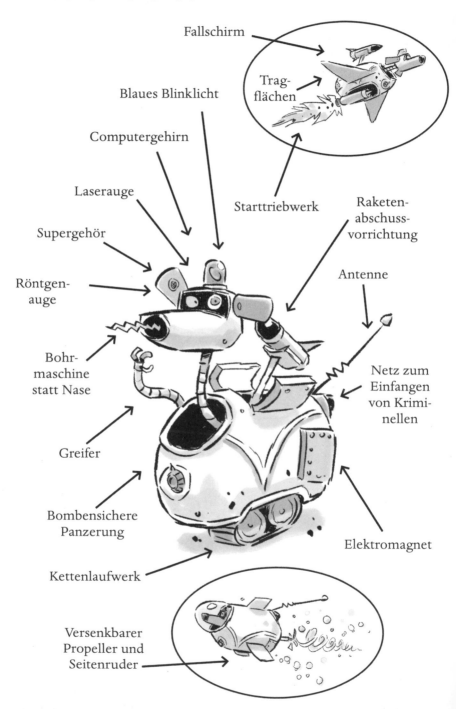

Fallschirm

Trag-
flächen

Blaues Blinklicht

Computergehirn

Laserauge

Supergehör

Röntgen-
auge

Starttriebwerk

Raketen-
abschuss-
vorrichtung

Antenne

Bohr-
maschine
statt Nase

Netz zum
Einfangen
von Krimi-
nellen

Greifer

Bombensichere
Panzerung

Elektromagnet

Kettenlaufwerk

Versenkbarer
Propeller und
Seitenruder

«DU BIST EIN GENIE!», rief die Chefin, umarmte ihre Frau und bedeckte ihr Gesicht mit Küssen. «SCHMATZ! SCHMATZ! SCHMATZ!»

«Immer mit der Ruhe!», erwiderte die Professorin.

«Aber verstehst du denn nicht? Robodog könnte die Antwort auf alle meine Gebete sein! Er kann nicht nur meine nervigen Polizeihunde ersetzen, sondern es auch mit sämtlichen **Superschurken** von **TUMULT** aufnehmen!»

EPISODE SECHS

DAS UNDENKBARE

Wie stolze Eltern standen die Professorin und die Chefin vor dem Roboterhund.

«Du hast es geschafft!», sagte die Chefin.

«*Wir* haben es geschafft!», sagte die Professorin.

«Stimmt! Robodog war wohl meine Idee, aber ohne dich hätte ich es nie geschafft!»

Die Professorin verdrehte die Augen und lächelte dann.

Währenddessen sah Velma ihnen die ganze Zeit über vom Ende der Wendeltreppe aus heimlich zu.

«FAUCH!»

Für die Katze waren die beiden Frauen bestenfalls ungebetene Gäste in IHREM Haus – oder vielmehr Hausbesetzerinnen. Und nun hatten die

82

beiden das Undenkbare getan! Sie hatten einen HUND in IHR Haus gebracht!

Velma sah zwar häufig schlecht gelaunt aus, aber nun schaute sie so finster drein, dass davon jeder Spiegel Sprünge bekommen würde.

Ihre Ohren waren aufgerichtet.

Ihre Reißzähne blitzten.

Ihre Nasenlöcher **bebten**.

Ihre Krallen schossen heraus.

Ihr Schwanz zeigte so kerzengerade in die Luft, dass man ihn als Lineal hätte benutzen können.

«Willst du ihn einschalten, L-L-Liebling?», fragte die Professorin, der vor Aufregung die Hände zitterten, als sie auf den Knopf zeigte.

«Warum bist du so n-n-nervös?»

«Ich habe Leben erschaffen! Das ist nicht einfach nur eine Waschmaschine – es ist ein denkendes Wesen!»

Die Chefin schwieg einen Moment. «Hat es auch Gefühle?

«Es ist ein ‹Er›!»

«Ach! Hat er auch Gefühle?»

«Ich weiß es nicht», erwiderte die Professorin. «Ich habe ihm kein **Herz** gegeben.»

«Also kann er nichts empfinden?»

Ein Ausdruck tiefer Besorgnis huschte über das Gesicht der Professorin. «Vielleicht ist das eine schlechte Idee. Vielleicht hätte ich die Finger davon lassen sollen.»

«Blödsinn!»

«Es macht mich nervös, ihn allein zum Leben zu erwecken. Lass ihn uns zusammen einschalten.»

«Großartige Idee! Du zuerst!»

Die Professorin schüttelte den Kopf.

Da fassten sich die beiden an den Händen, und jede berührte mit einem Finger den Knopf.

KLACK!

Zuerst geschah gar nichts.

Dann, nach einem kurzen Moment, setzte tief im Inneren des Roboters ein *Surren* und **Klicken** ein.

Als Nächstes begann ein Auge zu flackern. Dann das zweite.

Die Nase zuckte.

Die Schnauze klappte auf.

Der Schwanz fuhr in die Höhe.

SCHNICK!

Plötzlich begannen sich die Ketten zu drehen.
QUIETSCH!

Robodog ratterte pfeilschnell durch das **LABOR**, prallte gegen einen Tisch ...

KRACH!

... warf einen Stuhl um ...

PENG!

… und fuhr geradewegs gegen eine Wand.

DUFF!

«Er ist außer Kontrolle!», rief der Chefin.

«FEHLFUNKTION! FEHLFUNKTION! FEHL-FUNKTION!», plärrte Robodog.

«TII! HII! HII!», kicherte Velma.

VERHAFTET

*H*ALT IHN AUF!», schrie die Professorin, als sie sah, dass ihre größte Schöpfung und ihr **LABOR** auf einen Schlag zerstört zu werden drohten.

BING! BANG! BONG!

«FEHLFUNKTION! FEHLFUNKTION! FEHLFUNKTION!», wiederholte Robodog immer wieder.

«Wie soll ich ihn denn aufhalten?!», rief die Chefin.

«Keine Ahnung! Du bist doch die Polizeichefin! Verhafte ihn!»

«Ihn verhaften? Er ist ein Roboter!»

«TII! HII! HII!», kicherte die Katze über das Chaos, das sie angerichtet hatte. «Das Ding landet in der Mülltonne, noch ehe die Nacht vorüber ist!»

Aber Velma war im Begriff, ihre gerechte Strafe zu bekommen, denn Robodog sauste mit der Geschwindigkeit eines Rennwagens rückwärts auf die Wendeltreppe zu.

FLITZ!

KRACH!

Die Treppe wackelte so heftig, dass die Katze herunterpurzelte.

«MIAU!», schrie sie, als sie durch die Luft flog.

WUSCH!

Velma landete direkt auf Robodogs Rücken.

WOMP!

Sie fuhr die Krallen aus.

KLICK! KLICK! KLICK!

«ROBODOG WIRD VON EINER KATZE
ANGEGRIFFEN!», plärrte der Roboter.

Velma versuchte, Robodog ihre Krallen in den
Rücken zu schlagen. Doch obwohl sie schärfer
waren als jedes Messer, hatten sie gegen das
bombensichere Metall keine Chance. Sie fanden
einfach keinen Halt!

Während der Roboterhund sich
unaufhörlich im Kreis drehte
und seinem Schwanz nach-
jagte, schwankte Velma
auf seinem Rücken
hin und her.

SCHWIRR!

Bald sah man
nur noch einen
verschwomme-
nen Fleck!

SURR

«DU BIST VERHAFTET, KATZE!», dröhnte Robodog mit seiner mechanischen Stimme.

«DU BIST VERHAFTET, KATZE! DU BIST VERHAFTET, KATZE!»

Völlig außer Kontrolle stieß er gegen einen Hocker, und Velma flog in hohem Bogen davon.

«MIAU!»

Die Katze sauste durch die Luft …

SURR!

… und landete in einem Abfalleimer.

WOMP!

«MIAU!»

Velma fauchte vor **Wut**. «NEEIIINN!»

Sie sprang aus dem Eimer auf eine Arbeitsplatte, schüttelte die Müllreste ab und stürzte sich dann auf den Roboterhund wie bei einer KUNG-FU-ATTACKE!

«MIAU!»

Noch während sie auf ihn zuschoss, machte

Robodog kehrt und zeigte ihr sein metallenes Hinterteil.

«KEINE BEWEGUNG, KATZE! DU BIST VERHAFTET!»

Velma machte ein verwirrtes Gesicht. Was man ihr kaum verübeln kann. Schließlich ist es schwer, sich nicht zu bewegen, wenn man gerade durch die Luft saust.

Und dann …

HUI!

… schoss ein Netz aus Robodogs Hinterteil!

Die Professorin und die Chefin konnten nur hilflos zuschauen, wie das Grauen seinen Lauf nahm.

Das Netz erwischte die fliegende Katze und schloss sich um sie.

ZACK!

Velma fiel wie ein Stein zu Boden und schlug **dumpf** auf!

«MIAU!», schrie sie, während sie sich zu befreien versuchte. Doch je mehr sie kämpfte, desto mehr verhedderte sie sich in dem Netz. Bald war sie nur noch ein verdrehtes Knäuel.

«FAUCH!»

Velma stach sich mit ihrem eigenen Schwanz ins Auge.

«JIAU!», schrie sie.

Sie verpasste sich mit der Pfote einen Kinnhaken …

«UFF!»

… ehe ihre Nase in ihr eigenes Hinterteil gedrückt wurde.

«ÖRG!»

Robodog drehte sich die ganze Zeit über weiter im Kreis.

«DU BIST VERHAFTET, KATZE!

DU BIST VERHAFTET, KATZE!
DU BIST VERHAFTET, KATZE!»

«STELL DAS VERDAMMTE DING AB, SCHATZ!», donnerte die Chefin, während sie Robodog auszuweichen versuchte, damit sie die Katze aus dem Netz befreien konnte.

«DAS VERSUCHE ICH JA, SCHATZ!», fauchte die Professorin, die ihrer Erfindung hinterhersauste.

Robodogs Bewegungen waren inzwischen so unberechenbar, dass es unmöglich war, ihn einzufangen.

«BITTE! ICH FLEHE DICH AN! HÖR AUF!», rief die Professorin, als ihr Labor immer mehr zu Bruch ging. Alte und neue Waschmaschinen wurden zertrümmert.

Sie kippten um.

KAWUMM!

Es gab nur eine Lösung. Als Robodog direkt auf sie zukam, sprang ihm die Professorin auf den Rücken.

«DANN MAL LOS!»

RUMS!

Trotz ihres Gewichts ließ Robodog sich nicht aufhalten. Die Professorin surfte jetzt! Sie surfte auf einem Roboterhund! Mit angewinkelten Knien, die Arme seitlich ausgestreckt, um das Gleichgewicht nicht zu verlieren, und in den Augen NACKTE ANGST!

«NEEEIIIINNN!!»,

schrie sie.

Währenddessen kämpfte die Chefin darum, die Katze aus dem Netz zu entwirren.

«HALT STILL, VELMA!»

Doch je mehr sie sich anstrengte, desto mehr zappelte Velma.

«MIAU!»

Jetzt wälzten sich die beiden über den Boden des **LABORS**.

Die Chefin sah auf und begegnete dem Blick der Professorin am anderen Ende des Raums. Beide wussten, was gleich passieren würde, aber keine konnte es verhindern.

Sie befanden sich auf **KOLLISIONSKURS!**

Alle vier prallten zusammen …

… und wurden in verschiedene Ecken des **LABORS** geschleudert.

PUFF!

PLONG!

DUNG!

BÄNG

Robodog landete auf dem Rücken wie eine um-
gedrehte Schildkröte.

**«DU BIST VERHAFTET, KATZE!
DU BIST VERHAFTET, KATZE! DU
BIST VERHAFTET, KATZE!»**

Seine Ketten rotierten immer noch.

QUIETSCH!

Die Chefin kroch über den Boden und schaltete
Robodog endlich AUS.

«DU BIST VERHAFTET, KA-!»

KLICK!

In der Zwischenzeit kroch die Professorin zur Katze hinüber und befreite Velma mit einer Schere aus dem Netz.

«MIAU!»

Das böse Vieh belohnte ihre Besitzerin mit einem tiefen Kratzer auf dem Handrücken.

KRATZ!

«AUTSCH!», schrie die Professorin.

«Was ist los?», fragte die herbeieilende Chefin.

«Velma hat mich gekratzt!», antwortete ihre

AUF EINEM EISKALTEN TOILETTEN-SITZ SITZEN

SUPER-LAUTE HEAVY-METAL-MUSIK HÖREN

VON EINEM FUSSBALL AM KOPF GETROFFEN WERDEN

EINEN SCHNEEBALL INS GENICK BEKOMMEN

BARFUSS AUF EIN LEGOTEIL TRETEN

Frau und hielt zum Beweis die blutende Hand hoch. «Bis aufs Blut!»

«BÖSE KATZE!»

Velma fletschte die Zähne und fauchte: «FAUCH!»

Dann, um das böse Spiel auf die Spitze zu treiben, biss sie der Chefin ins Ohrläppchen.

Der Schmerz war unerträglich.

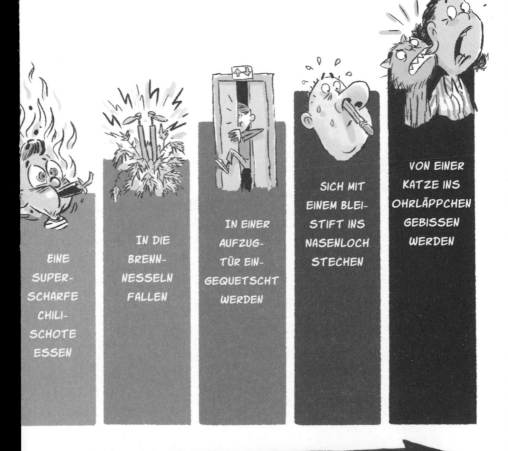

EINE SUPER-SCHARFE CHILI-SCHOTE ESSEN

IN DIE BRENN-NESSELN FALLEN

IN EINER AUFZUG-TÜR EIN-GEQUETSCHT WERDEN

SICH MIT EINEM BLEI-STIFT INS NASENLOCH STECHEN

VON EINER KATZE INS OHRLÄPPCHEN GEBISSEN WERDEN

«AAAAAAAHHH!», schrie die Chefin, wie du es auch tun würdest, wenn dir eine Katze ins Ohrläppchen beißen würde.

Velma schoss die Wendeltreppe hinauf, und die Professorin und die Chefin blieben allein im **LABOR** zurück.

«Robodog ist gefährlicher als jeder echte Hund», schimpfte die Chefin. «Du kannst ihn als Schrott verkaufen!»

«Nein! Nein!», flehte die Professorin. «Es gab nur ein kleines Problem.»

«Ein großes Problem!

Ein Riesenproblem!

Ein gigantöses Problem!»

«In seinem Gehirn fehlt ein kleines Teil.»

«Ich würde sagen, ihm fehlt das ganze Gehirn!»

«Das Teil steuert sein Verhalten. Ich muss Robodog noch einmal auseinandernehmen, um zu sehen, wo es hakt.»

«Ich kann nicht zulassen, dass dieses Ding in der Stadt Chaos anrichtet! Davon gibt es in **TUMULT** schon mehr als genug!»

«Ich weiß! Ich verspreche dir, dass Robodog bald tadellos funktioniert.»

«Hmmm …», überlegte die Chefin, alles andere als überzeugt.

«FAUCH!», fauchte Velma vom oberen Ende der Treppe.

Die Beziehung zwischen Hund und Katze hatte wirklich **keinen guten Anfang** genommen …

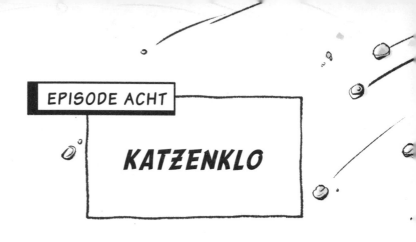

KATZENKLO

*I*n der folgenden Nacht nahm die Professorin Robodog komplett auseinander, um herauszufinden, was so schrecklich schiefgegangen war. Doch erst als sie das Computerhirn des Roboters untersuchte, wurde ihr klar, dass ihre Vermutung richtig gewesen war. Es fehlte ein wichtiges Bauteil. Seltsam war nur, dass sich die Professorin genau erinnern konnte, es eingebaut zu haben. Vielleicht war es herausgefallen, als bei Robodog die Sicherungen durchbrannten. Aber so sehr sie ihr **LABOR** auch auf den Kopf stellte, sie konnte das Teil einfach nicht finden.

Geschlagen stieg sie die nun sehr wacklige Wendeltreppe hinauf.

«Ich brauche einen Kaffee!», murmelte sie vor sich hin.

Ganz benommen vor Schlafmangel wankte sie wie ein Zombie durch die Küche und trat dabei versehentlich in Velmas Katzenklo.

STAPF!

Die kleinen Katzen-streukügelchen flogen in alle Richtungen.

Doch irgendwo in der grauen Wolke glitzerte etwas im Licht.

Mit einem **KLICK** fiel es auf den Küchenboden!

Neugierig kniete sich die Professorin hin und suchte nach dem winzigen Fundstück. Mitten unter den Kügelchen lag genau jenes Bauteil aus Robodogs Gehirn, das sie die ganze Zeit gesucht hatte! Eine winzige, aber entscheidende Platine, die das Verhalten des Roboterhundes steuerte.

«Wie um alles in der Welt ist dieses Ding in Velmas Katzenstreu gelandet?», fragte sich die Professorin. «Velma?»

Die Katze gab keinen Mucks von sich. Sie lauerte wieder einmal in einem Versteck und beobachtete die Professorin, dieses Mal von einem Schrank aus.

«Verflixt! Mein Geheimnis ist gelüftet!», flüsterte Velma vor sich hin. Sie hatte die Platine in einem SABOTAGEAKT ein paar Abende zuvor gestohlen! Da sie ihr Frauchen bei der Arbeit genau beobachtet hatte, wusste Velma, dass Robodog eine komplexe Erfindung war. Er bestand aus Abertausenden winzig kleinen Bauteilen, die alle auf das Sorgsamste zusammengesetzt waren. Wenn auch nur eines davon fehlte, würde bei Robodog eine FEHLFUNKTION eintreten, das hatte sie gewusst. Und genau das war natürlich auch passiert. «Ich werde es diesem Metallköter schon HEIMZAHLEN!»

Die Professorin sprang auf und flog mit dem Bauteil in der Hand förmlich die Treppe hinunter in ihr LABOR.

«HEUREKA!», rief sie aufgeregt.

Ihre Hände zitterten vor Erwartung, als sie Robodog wieder zusammensetzte. Mit der Präzision einer Gehirnchirurgin platzierte sie die fehlende Platine genau an die richtige Stelle. Dann holte sie tief Luft und stellte Robodogs Schalter auf EIN.

KLICK!

Würde ihre großartigste Erfindung abermals Amok laufen?

Robodogs Augen erwachten flackernd zum Leben.

Seine Nase zuckte.

Sein Schwanz schnellte in die Höhe.

SCHNICK!

«Ich heiße Robodog», sagte er. «Willkommen in der Zukunft der Verbrechensbekämpfung. Wie lauten deine Befehle?»

Die Professorin strahlte vor Freude. Er war perfekt!

Natürlich saß Velma wieder oben an der Treppe und spionierte.

«Dieses Ding!», fauchte sie. «In **MEINEM** Haus. Ich werde dich vernichten, Robodog! Ich werde dich vernichten, und wenn es das Letzte ist, was ich tue!»

Dann kicherte die Katze leise. Nicht, weil das, was sie gesagt hatte, lustig war. Im Gegenteil! Aber sie hatte gesehen, dass **Schurken** in Filmen das taten, und fand es passend.

«HII! HII! HII!»

Weil sie ein bisschen zu heftig lachte, hustete sie dabei ein Fellknäuel aus.

SPUCK!

Das Geräusch ließ Robodog aufblicken. «Eine Katze!», sagte er zu Velma. «Ich bin darauf programmiert, Katzen zu lieben! Ich bin Robodog! Und wie heißt du?»

«Velma! Und ich bin nicht darauf programmiert, Hunde zu lieben!»

«Ich bin sicher, dass wir Freunde sein können!», gurrte der Roboter.

Die Professorin sah den beiden zu. Sie verstand zwar nicht, was sie zueinander sagten, freute sich aber, dass sie miteinander sprachen. «Wie schön, dass ihr zwei euch so gut versteht! Wartet nur, wenn ich das der Chefin erzähle!»

Die Professorin lief die Wendeltreppe hinauf und ließ die beiden Tiere allein zurück.

«Schön, dich kennenzulernen, Velma!», sagte Robodog. «Wie geht es –»

«Mach's gut, Robodog!», erwiderte Velma.

Damit sprang die Katze aus dem **LABOR** und warf die schwere Holztür hinter sich zu.

RUMS!

Der Schlüssel steckte im Schloss, also drehte sie ihn hastig um …

KLICK!

… und verschluckte ihn dann.

SCHLUCK!

«Auf Nimmerwiedersehen!», zischte sie.

Doch schon sah sie, wie sich ein roter Lichtstrahl durch die Tür fräste. Im Handumdrehen schnitt der Strahl einen roboterhundförmigen Umriss in die Tür, und das qualmende Türstück fiel heraus.

WOM!

Mit immer noch rot glühendem Laserauge rollte
Robodog durch das Loch.

«Das war ein lustiges Spiel, Velma!», trällerte er.
«Was wollen wir als Nächstes spielen?»

«FAUCH!», fauchte die Katze.

EIN FLIEGENDER HUND

Nach allem, was sich ereignet hatte, als Robodog das erste Mal zum Leben erwacht war,
bestand die Chefin darauf, dass er in der **POLIZEI-
HUNDESCHULE** auf Herz und Nieren geprüft
wurde. Obwohl die Professorin schwor, dass
ihre geniale Erfindung einsatzbereit sei, blieb
die Chefin hart. Ohne vorher gründlich unter-
sucht worden zu sein, durfte dieser Roboterhund
auf keinen Fall auf die gefährlichen Straßen von
TUMULT geschickt werden.

Mit Robodog auf dem Rücksitz des Polizei-
wagens der Chefin fuhr das Paar in eisigem
Schweigen von *Haus Fussel* fort.

«Wie soll ich dich nennen?», fragte Robodog
und starrte die Professorin an. «Bist du meine
Mutter?»

Die Professorin wusste nicht, was sie darauf erwidern sollte, also sprang die Chefin ein.

«NEIN!», fauchte sie. «Du nennst sie ‹Professorin› und mich ‹Chefin›.»

«Guten Morgen, Chefin. Guten Morgen, Professorin.»

«Guten Morgen, Robodog!», erwiderte die Professorin.

Die Chefin seufzte nur.

Die Professorin tätschelte ihre Erfindung. «Braver Junge!», sagte sie.

Die Chefin schüttelte ungläubig den Kopf.

«Was ist?», fragte die Professorin.

«Das weißt du!»

«Tue ich nicht!»

Der Wagen raste durch die Stadt, ehe er das Tor der **POLIZEIHUNDESCHULE** passierte.

«Du bleibst mit Robodog erst einmal hier», befahl die Chefin.

«Zu Befehl, Ma'am!», erwiderte die Professorin und grüßte ihre Frau wie eine Vorgesetzte.

Die Chefin fand das gar nicht lustig. «Ich werde zuerst ein paar Worte sagen, und dann gebe ich dir ein Zeichen, dass Robodog kommen kann!»

«Darf er einen schönen großen Auftritt hinlegen?», fragte die Professorin.

«Nicht zu groß, bitte! Ich will die Hunde nicht erschrecken!»

«Natürlich!», erwiderte die Professorin und zwinkerte Robodog heimlich zu.

Während die Chefin davonging, beugte sich die Professorin hinunter und streichelte ihre Erfindung.

«Es hat schließlich keiner gesagt, dass ich dich nicht streicheln darf, oder?»

Robodog reckte ihr den metallenen Hals entgegen und ließ sich von ihr die Ohren kraulen.

«Spürst du das?», fragte sie.

«Ja.»

«Wie fühlt es sich an?»

«Ich weiß es nicht.»

«Ich benehme mich albern!» Die Professorin zog ihre Hand zurück.

«Professorin?»

«Ja.»

«Bist du meine Mutter?»

Die Professorin trat in ihren Latschen unruhig hin und her. Doch bevor sie antworten konnte …

RING!

… wurde sie vom Klang der Glocke erlöst!

Das war das Signal, dass sämtliche Hunde zum **Paradeplatz** kommen sollten.

Die Verlorene Patrouille traf wie immer als letzte ein.

Während die Professorin und Robodog außer Sicht blieben, stellte sich die Chefin auf eine Kiste, um vor den einhundert Hunden eine Rede zu halten.

«Nach dem Fiasko bei der letzten **Abschluss-zeremonie** ...», begann die kleine Frau.

«Ich hab keine Ahnung, was sie meint», redete Honki dazwischen.

«PSSST!», zischten die anderen Hunde aufgebracht.

«... habe ich beschlossen, eine ganz neue Hundeart in die Reihen der Polizeihunde aufzunehmen», fuhr die Chefin fort.

Ein Raunen ging durch die Hundemeute.

«WUff!»

Eine neue Hundeart? Was konnte sie damit nur meinen?

«Einen Hund, der alle Aufgaben eines Polizeihundes erledigen kann und noch mehr dazu!»

Jetzt waren Japser zu hören!

«WUff!»

«Einen Hund, der euch vielleicht eines Tages alle arbeitslos machen wird!»

Das REICHTE! Die Hunde konnten ihre Bestürzung nicht länger zurückhalten! Sie begannen zu heulen.

«JAUUUUUUUUUU!»

«RUHE!», rief die Chefin.

«JAUUUUUUUUUUUUUU–
UUUUUUUUUUUUUUUUU–
UUUUUUUUUUUUUUUU!»

Ein Polizist reichte der Chefin ein Megafon.

«RUHE!», befahl sie erneut.

Endlich verstummten die Hunde.

«Es ist Zeit, dass ihr die Zukunft der Polizeiarbeit kennenlernt: einen Polizeihund, der das
Verbrechen in dieser geschlagenen Stadt hoffentlich für immer ausrotten wird! DAS IST ROBO-
DOG!»

Die Hunde schauten sich in alle Richtungen
nach diesem Superhund um, aber er war nirgends
zu sehen.

Plötzlich ertönte ein GIGANTISCHES
WUSCH über ihren Köpfen.

WUSCH!

Hundert Augenpaare richteten sich gleichzeitig
nach oben.

Ein metallener Hund schoss hoch in den Himmel!

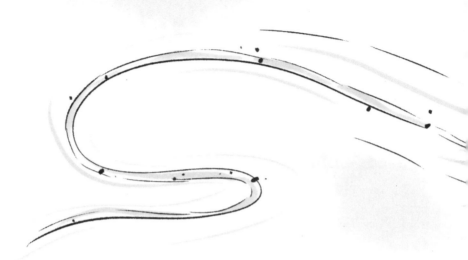

Mit ausgefahrenen Tragflächen schwebte er durch die Wolken.

Die Professorin blickte stolz zu ihm auf.

Den Hunden blieb das Maul offen stehen, und die Zunge hing ihnen bis auf den Boden.

EIN FLIEGENDER HUND!

Niemand sah verlorener drein als die Verlorene Patrouille.

«Was ist das?», fragte Honki.

«Ist es ein Vogel? Oder ein Flugzeug?», vermutete Knorpel.

«Es sieht aus wie eine Art Hund», erwiderte Drücker.

«Komischer Hund», wunderte sich Knorpel.

«Ja, wirklich!», sagte Honki. «Er sieht aus wie eine Waschmaschine! Aber Waschmaschinen können nicht fliegen, oder?»

Um ehrlich zu sein, hatte Robodog tatsächlich eine gewisse Ähnlichkeit mit einer fliegenden Waschmaschine. Er war schließlich aus Waschmaschinenersatzteilen gebaut.

«Du Dummi! Warum sollte eine Waschmaschine durch die Luft fliegen?», fragte Drücker.

«Für einen superschnellen Schleudergang?», vermutete Honki.

Robodog näherte sich dem **Paradeplatz** und *sauste* mit einem ziemlich selbstgefälligen Blick im Metallgesicht über die versammelte Hundeschar.

Dann legte er eine perfekte Landung hin.

Die Professorin brach in begeisterten Beifall aus.

«AUF GEHT'S, ROBO, AUF GEHT'S!», rief sie, während sie händeklatschend herumhüpfte wie ein Cheerleader.

«Professorin, bitte!», ermahnte sie die Chefin. «Reiß dich zusammen!»

«'tschuldigung.»

Robodogs Tragflächen verschwanden

in seinem Körper. Dann begannen sich seine Ketten zu drehen, und er nahm stolz neben der Chefin Aufstellung.

«Guten Morgen, Polizeichefin!», trällerte er. «Darf ich bemerken, wie strahlend Sie heute aussehen?»

«Was für ein Schleimer!», sagte Drücker.

«Vielen Dank», antwortete die Chefin, die rot anlief. Dann wandte sie ihre Aufmerksamkeit den versammelten Polizeihunden zu. «Hunde, ich möchte, dass ihr ROBODOG in dieser Schule willkommen heißt!»

Die Hunde blieben still. Dieses Ding war ihnen sofort zuwider.

«Robodog!», spottete Drücker. «Was für ein blöder Name! Warum nicht Dogobot?»

«Oder Doggibotti?», schlug Knorpel vor.

«Oder Barbara?», ergänzte Honki. «Das ist ein wunderschöner Name für einen Hund. Ich wollte schon immer Barbara heißen!»

«Robodog kann **hundertmal** mehr als ein normaler Hund!», fuhr die Chefin fort. «Er kann schneller laufen als ihr, schneller denken und vor allen Dingen kann er **Befehle** besser befolgen.»

«Wie lauten Ihre Befehle, Chefin?», fragte Robodog.

Klettergerüst

Leitern

Tunnel

Als die Chefin sich auf dem Schulgelände um-
sah, fiel ihr Blick auf den Hindernisparcours.
Er war eine echte Herausforderung für jeden
Hund.

Teich

Wippe

Hürden

Ringe

«Robodog, bitte zeig deinen Hundekollegen, wie man den Hindernisparcours in Angriff nimmt!»

«Mit Vergnügen, Chefin!», erwiderte er.

Im nächsten Moment öffnete sich auf seinem Rücken eine Klappe und eine Raketenabschussvorrichtung schnellte heraus.

WUSCH!

Die Rakete raste los und

KABUMM!

Schon flog der ganze Hindernisparcours in die Luft!

Kurz darauf brannte er lichterloh.

«Auftrag ausgeführt, Chefin!», trällerte Robodog.

«So hatte ich mir das eigentlich nicht vorgestellt», sagte die Chefin.

Die Professorin trat dicht neben sie.

«Das nächste Mal braucht es vielleicht klarere Anweisungen, Chefin!», schlug sie vor.

HERAUSFORDERNDE HERAUSFORDERUNGEN

Einige Zeit später stellte die Chefin den Polizeihunden eine Reihe von Aufgaben. Die Professorin blieb als Beobachterin dabei und hoffte inständig, dass es zu keinem weiteren explosiven Zwischenfall kommen würde.

«Also, Hunde, die erste der drei Herausforderungen», verkündete der Chefin, «besteht darin, einen Räuber zu fangen.»

«Lasst uns diesem Schrotthaufen alle zusammen zeigen, wer hier der Boss ist!», sagte Knorpel.

«WUFF!», bellten die anderen Hunde zustimmend.

«Nun, wenn ich ‹alle zusammen› sage, meine ich damit alle, außer mir», fuhr Knorpel fort.

Ein Polizist, der beim Losen eindeutig den Kürzeren gezogen hatte, kam in einem gewaltigen gepolsterten Anzug angewatschelt. Er sah aus wie aufgeblasen. Der Anzug sollte ihn vor Hundebissen schützen, denn er würde den Räuber spielen. Der «Räuber» bekam einen gewissen Vorsprung, ehe die Chefin in ihre Pfeife blies und die Hunde die Verfolgung aufnahmen.

PFIFF!

Die Hunde rannten los und sahen sich nach Robodog um, der immer noch an der Startlinie stand. Allerdings konnte Robodog sich Zeit lassen, denn er war der schnellste Hund, den die Welt je gesehen hatte.

«TRAGFLÄCHEN: AUSFAHREN! START-TRIEBWERK: ZÜNDEN!», trällerte er.

Im nächsten Moment verwandelte er sich in eine Flugmaschine und schoss mit einem Knall davon ...

WUMM!

Robodog flog über die Köpfe sämtlicher Hunde, die dem Räuber auf den Fersen waren.

SAUS!

«WUFF! WUFF! WUFF!»

Dann öffnete sich auf Robodogs Rücken eine Klappe und seine Greifer sprangen heraus.

KLONK!

Die Greifer wurden länger und länger, bis sie den «Räuber» erreichten.

«DU BIST VERHAFTET, RÄUBER!», erklärte Robodog.

Dann packten seine Greifer den Mann am Rücken des gepolsterten Anzugs und hoben ihn in die Luft.

WUSCH!

«Ich ergebe mich!», schrie der Polizist.

Die anderen Hunde konnten nichts anderes tun, als stehen zu bleiben und dieser großartigen Darbietung meisterhafter Polizeiarbeit zuzusehen. Der Mann baumelte hilflos in der Luft und hatte keine Chance, Robodogs Greifern zu entkommen.

Er wurde durch die Baumwipfel geschleift …

RASCHEL! RASCHEL! RASCHEL!

… ehe er schließlich in die Arme eines wartenden Polizisten fallen gelassen wurde.

«UFF!»

«Auftrag ausgeführt!», trällerte Robodog.

«BRAVO, MEIN JUNGE!», rief die Professorin von der Seitenlinie. «BRAVO!»

Die anderen Hunde schnaubten, und niemand lauter als die Mitglieder der Verlorenen Patrouille. Dieser Roboterhund führte sie wirklich übelst vor.

«Die nächste Herausforderung ist eine ziemliche ...», verkündete die Polizeichefin, ehe sie innehielt und nach einem Wort suchte, das ihr einfach nicht einfallen wollte, «... Herausforderung! Wie ihr seht, haben meine Kollegen und Kolleginnen auf dem **Paradeplatz** einhundert Koffer zu einem großen Haufen aufgetürmt. Eure Aufgabe besteht darin, den Koffer zu finden, in dem eine Dynamitstange versteckt ist!»

Die Hunde stürmten mit zuckenden Nasen los, um den Sprengstoff aufzuspüren.

«Halt, wartet, Hunde. Ich gebe das Startkommando!»

PFIFF!, ertönte die Pfeife.

«Habe ich die Räuberjagd verpasst?», fragte der faule Knorpel.

Die Hunde begannen von einem Koffer zum anderen zu springen und wie verrückt herumzuschnüffeln.

SCHNÜFFEL! SCHNÜFFEL! SCHNÜFFEL!

Währenddessen rührte sich Robodog nicht von der Stelle. Er setzte sein Röntgenauge ein, um die einhundert Koffer in Sekundenschnelle zu scannen. Und er fand den großen braunen Koffer mit der Dynamitstange im Nu. PING!

«ZURÜCKTRETEN!», befahl er.

Die anderen Hunde verzogen sich. Drücker ging sogar noch einen Schritt weiter und begann hektisch ein Loch zu graben, in dem er sich verstecken konnte.

Dann sprengte Robodog mit seinem Laserauge den Koffer.

ZAP!

KABUMM!

Es gab eine gewaltige Explosion. Als sich der Qualm verzog, stellten die anderen Hunde fest, dass sie ganz schwarz vor Ruß waren.

«GRRR!», knurrten sie.

«Der nächste Auftrag ausgeführt!», trällerte der Roboter.

«OH, JA! OH, JA! ER HAT'S GESCHAFFT! ER HAT'S GESCHAFFT!», jubelte die Professorin und führte einen kleinen Siegestanz auf.

«Bist du jetzt still?», fauchte die Chefin. «Du bringst mich vor allen Hunden in Verlegenheit!»

«Tut mir leid.»

«Danke.»

«ABER ER HAT'S GESCHAFFT! ER HAT'S GESCHAFFT!»

«RUHE! Also, Hunde, die letzte Herausforderung ist, mit einem Wort gesagt, sehr herausfordernd.»

«Das sind zwei Worte», warf die Professorin ein.

«RUHE! Eine der Aufgaben eines Polizeihundes besteht darin, für die Sicherheit der Bürgerinnen und Bürger dieser Stadt zu sorgen. Ihr müsst jemanden vor dem Ertrinken retten!»

Auf das Signal der Chefin hin tauchte über ihnen ein Polizeihubschrauber auf.

SCHWIRR!

Unter dem Hubschrauber baumelte ein an einem Seil befestigtes verbeultes, altes Polizeiauto, und auf dem Fahrersitz saß ein Polizist mit einer Schwimmweste. Er hatte ein noch schlechteres Los gezogen. Als der Hubschrauber die Mitte des

Teichs erreichte, wurde das Seil ausgeklinkt.

KLICK!

Mit einem gewaltigen PLATSCH landete das Auto im Wasser.

Es ging sofort unter.

BLUB! BLUB! BLUB!

«Jetzt kriegen wir ihn!», rief Drücker.

«Robodog darf nicht nass werden! Sonst rostet er!»

«Welcher ist noch mal Robodog?», fragte die belämmerte Honki.

Die Chefin blies in ihre Pfeife.

PFIFF!

Drücker tauchte seine Pfote einen Millimeter tief ins Wasser, kam aber zu dem Schluss, dass es viel zu kalt war.

Knorpel hielt es für das Beste, die ganze Sache auszusitzen. Es war ohnehin schon ein furchtbar langer Tag gewesen.

Und Honki hatte in der Zwischenzeit eine Pfütze mit dem Teich verwechselt und war hineingesprungen.

PLITSCH!

Alle anderen Hunde jedoch sprangen mit Anlauf in den Teich …

PLATSCH!

… während Robodog an Land blieb.

Die Hunde schwammen so schnell sie konnten zu dem sinkenden Wagen, um den Mann in Sicherheit zu bringen.

«Aktiviere Submarobodog-Modus», trällerte Robodog.

Wieder begann sich der Roboter zu verwandeln – diesmal in ein U-Boot.

SCHWENK!

Die Ketten verschwanden im Innern seines Körpers, und es kamen Seitenruder und ein Propeller zum Vorschein.

KLONK!

«Umwandlung abgeschlossen! Bereit zum Start!»

«Also, ich glaube es nicht», sagte die Chefin.

Dann kippte der Roboter in den Teich …

PLATSCH!

… und tauchte unter.

SCHWIRR!

Über sich sah er Hunderte kleine behaarte Beine, die aus Leibeskräften durchs Wasser paddelten. Doch gegen den **Submarobodog**, der unter ihnen vorbeirauschte, hatte keiner der Hunde eine Chance.

In wenigen Augenblicken erreichte er das sinkende Auto, tauchte unter das Vehikel und aktivierte den superstarken Elektromagneten an seinem Bauch.

BRUMM!

Der Boden des Wagens heftete sich augenblicklich an den Elektromagneten.

KLONK!

Immer noch tief im Wasser, wurde aus **Sub-**

marobodog wieder Robodog. Seitenruder und Propeller verschwanden, die Tragflächen glitten heraus und das Starttriebwerk zündete.

WUMM!

Gerade als die Hunde die Mitte des Teichs erreichten, erhob sich das Auto, mit Robodog auf der Unterseite, aus dem Wasser.

Die Hunde hoben den Kopf, als das Auto über sie hinwegflog. Direkt vor den Füßen der Chefin setzte Robodog das Fahrzeug, mit einem sehr nassen und sehr erleichterten Polizisten darin, sicher und wohlbehalten ab.

KLONK!

«Auftrag voll und ganz ausgeführt!», trällerte Robodog.

Die Chefin staunte. «Das ist nicht einfach nur ein Hund! Das ist ein Superhund!» Sie wandte sich an ihre Frau. «Professorin! Du bist ein Genie! Kannst du hundert Stück davon anfertigen? Oder tausend? Nein, zehntausend!»

«Vielleicht», erwiderte die Erfinderin. «Aber dieser hier ist etwas ganz Besonderes.»

«Ich dachte, ich wäre der Einzige», trällerte Robodog.

«Das bist du auch.»

«Vorerst», fügte die Chefin hinzu.

Währenddessen hatte Velma die ganze Zeit über mit einem Fernglas auf einem Dach gehockt und Robodog nicht eine Sekunde aus den Augen gelassen.

«Dieses Ding muss vernichtet werden!», fauchte sie vor sich hin.

«Gut gemacht, Robodog!», lobte die Chefin. «Du hast die Prüfungen mit Bravour bestanden!» Sie streckte die Hand aus, um seinen Metallkopf zu tätscheln, überlegte es sich dann aber anders.

«Das war keine große Sache für Robodog!», sagte der Roboterhund. «Willkommen in der Zukunft der Verbrechensbekämpfung!»

«Oh, nein!», japste Knorpel. «Er hat sogar einen Slogan!»

«Hunde», sagte die Chefin, «ihr habt heute etwas Außergewöhnlichem beigewohnt. Dieser brandneue Polizeihund, Robodog, hat Maßstäbe gesetzt, an denen ihr euch alle messen solltet.»

«Welcher ist noch mal Robodog?», fragte Honki.

«Aus diesem Grund habe ich beschlossen, dass Robodog mit jenen Hunden zusammenleben soll, die am meisten von seinem leuchtenden Beispiel lernen können ... DER VERLORENEN PATROUILLE!»

«WAS?!», riefen die drei.

«Das wird deine größte Herausforderung überhaupt, ROBODOG! Mach aus diesen drei Taugenichtsen – dem Angsthasen Drücker, dem Faulpelz Knorpel und der belämmerten Honki – so vorbildliche Polizeihunde, wie du einer bist!»

«Wer immer damit gemeint ist», murmelte Honki, «sie tun mir jetzt schon leid!»

Drücker und Knorpel schüttelten verzweifelt den Kopf. Honki war wirklich der belämmertste Hund der Welt.

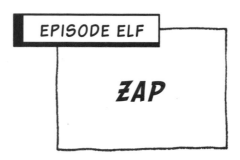

ZAP

Kaum war Robodog in die Hütte der Verlorenen Patrouille hineingerollt, schon flogen die Fetzen.

Die Hütte war der unordentlichste Ort in der ganzen **POLIZEIHUNDESCHULE**. Obwohl die Chefin strengstens befohlen hatte, dass die Hunde die Schule sauber halten sollten, war der Boden ein dicker Teppich aus:

Fell

angenagten
Tennisbällen

kaputten
Halsbändern

Sabber

Knochen

zerrissenen
Leinen

zerkauten
Spielzeugen

Stöcken

zerfetzten Zeitungsseiten

einem geklauten Pantoffel
(unbekannter Herkunft)

Robodog schaute sich um und erklärte: «Diese Hütte ist ein **Gesundheitsrisiko!** Sie muss sofort tiefengereinigt werden.»

Die Verlorene Patrouille protestierte.

«Der Pantoffel kaut sich schließlich nicht von selbst!», rief Honki.

«Wenn man das Staubwischen sein lässt, wird es nach ein, zwei Jahren nicht mehr schlimmer!», schlussfolgerte Knorpel.

«Ich würde dir ja helfen, aber ich habe Angst vor Dreck», fügte Drücker hinzu.

Robodog ließ nichts davon gelten. Sein Laserauge leuchtete rot, und Lichtstrahlen schossen heraus.

Innerhalb kürzester Zeit waren sämtliche
Ärgernisse verbrutzelt. Alles, was auf dem Boden
zurückblieb, war ein kleines Häufchen Asche.

«NEIN!», schrien die drei Hunde.

«Und jetzt, Verlorene Patrouille, kümmere ich
mich um euch!», erklärte Robodog.

Die drei Hunde zogen sich mit hoch erhobenen
Pfoten in eine Ecke zurück. Sie taten, was sie
konnten, um sich hintereinander zu verstecken.

Drohte ihnen nun das gleiche Schicksal wie ihrem Müll?

«SPRENG MICH NICHT WEG! NIMM IHN!», schrie Drücker und deutete auf Knorpel. «ER IST VIEL BESSER ZU SPRENGEN!»

Robodog schüttelte den Kopf. «Nein. Ich werde keinen von euch wegsprengen. Ich werde euch zeigen, wie ihr die besten Polizeihunde werdet, die ihr werden könnt!»

«Ach! Also dafür sind wir in der Schule!», rief Honki. «Um Polizeihunde zu werden? Warum sagt mir das denn niemand?»

Die anderen beiden schüttelten den Kopf. Wenn es Medaillen für belämmerte Hunde gäbe, bekäme Honki eine goldene.

«Ich heiße Robodog. Und nun stellt euch bitte vor, liebe Hundekollegen.»

«Also, ich bin Drücker», begann Drücker, «aber wir sind nicht deine Hundekollegen.»

Die anderen beiden Mitglieder der Verlorenen Patrouille starrten ihn an. Worauf lief das hinaus?

«Und warum nicht?», fragte Robodog.

«Weil du gar kein **echter** Hund bist!», sagte Drücker.

Der Roboterhund wurde still. Sogar das ständige *Surren* und **Klicken** hörte auf.

«Kein echter Hund? Die Aussage kann nicht verarbeitet werden», sagte er.

«Wir sind **echte** Hunde. Wir jagen Bällen nach, zerkauen Stöcke, graben nach Knochen, machen Dreck und furzen», erklärte Drücker.

«HA! HA!», lachten Honki und Knorpel.

«Was ist das für ein Geräusch, das ihr da macht?», fragte Robodog.

«Lachen!», rief Knorpel. «Das macht man, wenn etwas lustig ist.»

«Was war denn lustig?», fragte Robodog.

«Dass Drücker ‹furzen› gesagt hat», erklärte Honki. «Fürze sind immer lustig!»

«Ach, ja? Und warum?»

«Wenn du nicht weißt, was am Furzen lustig ist, bist du nie im Leben ein **richtiger echter Hund!**», sagte Drücker.

«Natürlich bin ich ein Hund!», widersprach Robodog. «Ich bin ein Roboterhund!»

«Du bist **überhaupt** kein Hund!», sagte Drücker. «Und das wirst du auch nie sein!»

Da geschah etwas sehr Seltsames. Robodog lief ein Öltropfen aus dem Augenwinkel.

«Was ist das?», fragte Honki.

«Sieht aus wie eine Träne», erwiderte der überraschte Drücker. «Aber das kann nicht sein. Robodog ist gar kein **echter Hund!** Er kann nicht traurig sein! Das ist unmöglich!»

Zum ersten Mal in seinem kurzen Leben fühlte Robodog etwas. Bis zu diesem Zeitpunkt waren ihm nur Gedanken gekommen. Aber jetzt brannte etwas tief in seinem Inneren. Traurigkeit. Es war überwältigend und verwirrend zugleich. Das Gefühl wurde immer stärker. Und plötzlich fühlte er sich … beschämt, als müsste er verstecken, dass er traurig war. Also tat Robodog noch etwas, was er nie zuvor getan hatte.

Er log.

«FEHLFUNKTION! FEHLFUNKTION! FEHLFUNKTION!», wiederholte er mit seiner Roboterstimme immer wieder.

Um das Ganze zu vervollständigen, begann er

sich rückwärts im Kreis zu drehen, als würde er seinem eigenen Schwanz nachjagen.

«FEHLFUNKTION! FEHLFUNKTION! FEHL-FUNKTION!»

Robodog stieß gegen eine Schüssel …

KLONK!

… prallte gegen eine Wand …

KLANG!

… und fiel auf Honki, die in ihrer eigenen Sabber-pfütze auf dem Boden lag.

WOMP!

«UFF!»

Nachdem er dafür gesorgt hatte, dass es in der Hütte wieder genauso unordentlich aussah wie zuvor, rollte Robodog hinaus.

EPISODE ZWÖLF

KATZEN, KATZEN UND NOCH MEHR KATZEN

*I*n jener Nacht berief Velma eine dringende Versammlung sämtlicher Katzen der Stadt ein. **MIAUS** schallten über die Dächer von **TUMULT** und gaben Zeit und Treffpunkt bekannt.

«MIAU!»

Um Mitternacht hatten sich im gruseligen Stadtpark Katzen, Katzen und noch mehr Katzen versammelt.

Velma war auf eine Statue
geklettert. Im silbernen
Mondlicht hockte sie
auf dem steinernen Kopf
und sprach zu der Ver-
sammlung. Genau wie bei
sich zu Hause, ging Velma
davon aus, dass sie hier die
Bestimmerin war, genauer
gesagt, die

Alphakatze.

«Hört mal alle her, ihr **Katzen von TUMULT**.
Als eure nicht-gewählte Anführerin …»

Die Straßenkatzen waren empört.

«Warum hast du uns hergerufen?»

«Ich könnte draußen Ratten jagen!»

«Seht euch ihr weiches Fell an! Was weiß die
denn schon? Sie ist eine von diesen eingebildeten
Katzen, die nie aus dem Haus gehen.»

«RIIIIAAAAUUU!», knurrte Velma.
Sie fletschte die Zähne und fuhr
die scharfen Krallen aus. Jetzt
hörten ihr alle zu.
«Danke!», begann sie
noch einmal. «Es gibt eine
neue Gefahr in **TUMULT**!
Eine Gefahr, die viel
bedrohlicher ist als die
Meisterverbrecher, die
unsere Straßen unsicher
machen! Eine Bedrohung,
die nicht nur unser Leben,
sondern das Leben aller Katzen auf

der Welt zerstören wird! Wenn wir nichts unternehmen, sind wir Katzen dem Untergang geweiht!»

Entsetzt sahen die Katzen sich an. Nur eine nicht.

Ein Straßenkater mit einer großen Narbe im Gesicht trat aus dem Dunkel.

«Was für ein Mist!», knurrte er.

«Wer in aller Welt bist du?», wollte Velma wissen.

«Du kennst mich nicht?»

Velma schüttelte den Kopf.

«Ich hab in dieser Stadt das Sagen. Man nennt mich ‹Schlitzer›. Siehst du diese Narbe? Die habe ich von einem Kampf gegen ein Rudel Wölfe.»

«Was ist passiert?»

«Sie sind gestorben. Du siehst, Schätzchen, nichts und niemand kann mich zerstören. Nicht einmal der größte und gefährlichste Hund der Welt!»

Wieder schüttelte Velma den Kopf. «Es tut mir wirklich leid, dir deine Illusionen zu rauben, Schlitzer, aber du kennst Robodog noch nicht!»

Fassungsloses Schweigen breitete sich unter den Katzen aus.

«Ein Roboterhund?», stammelte Schlitzer schließlich.

Velma nickte. «Der schnellste, stärkste und klügste Hund, der je gelebt hat.»

«Dann muss dieser Hund **vernichtet** werden!»

«Wenn das so einfach wäre, Schlitzer», erwiderte Velma. «Das Problem ist nämlich, dass Robodog unzerstörbar ist.»

Die Katzen fauchten erschrocken, bis sie von ganz hinten eine dröhnende Stimme übertönte.

«Ich werde mich auf ihn setzen!»

Als die Katzen sich umdrehten, erblickten sie einen Berg von einem Kater, der sich in einer Schubkarre rekelte, seinem bevorzugten Transportmittel.

«Ich bin Pavarotti, und ich verspreche euch, dass ich ihn platt drücken kann wie einen Pfannkuchen. Seht mal! Den hier habe ich vorhin gemacht!»

Damit zerrte er einen platt gedrückten Hund unter sich hervor.

«In diesem Fall wird das nicht funktionieren, Pavarotti», erwiderte Velma. «Die Professorin hat den Roboterhund **bombensicher** gemacht!»

«Aber ist er auch arschbombensicher?», dröhnte Pavarotti, sehr zur Belustigung der anderen.

«TII! HII! HII!»

«Ich gebe ja nicht gern Allerweltsweisheiten von mir», meldete sich ein klappriger alter Kater zu Wort, der an einem Baum lehnte. «Ich bin Zausel, nebenbei bemerkt. Aber hat dieser Roboterhund einen **Aus**schaltknopf?»

Zustimmendes Gemurmel setzte ein. Das schien wirklich die einfachste Lösung zu sein.

«Schalte das verdammte Ding einfach **aus**!»

«Aus! Aus! Aus!»

«Für immer!»

«NEIN! NEIN! NEIN!», übertönte Velma den immer lauter werdenden Katzenchor. «Wenn man Robodog ausschaltet, kann ihn irgendjemand einfach wieder einschalten. Dann müssten wir wieder ganz von vorne anfangen. Nein! Robodog muss zerstört werden. Ein für alle Mal.»

«JA!», riefen die Katzen.

«Hauen wir auf die Pauke!», rief Schlitzer.

«Wartet!», rief Velma vom Kopf der Statue. «Wir brauchen einen Plan. Anders kommen wir nicht mal in die Nähe des verdammten Dings.»

«Warum nicht?», fragte Zausel.

«Weil Robodog im Augenblick in der **POLIZEI-HUNDESCHULE** ist.»

Die Katzen schrien auf.

«Die **POLIZEIHUNDESCHULE!**»

«Du machst wohl Witze!»

«Dort leben einhundert Hunde!»

«Da gehe ich nicht hin! Nicht mal in die Nähe!»

«Da kommen wir niemals lebend raus!»

Schon verdrückten sich die ersten Katzen in die Nacht. «WARTET!», rief Velma erneut. «KOMMT ZURÜCK!»

Aber immer mehr Katzen rannten jetzt davon. Kurz darauf waren nur noch drei übrig: Schlitzer, Pavarotti und Zausel.

«VERDAMMT!», schrie Velma.

«Reg dich nicht auf, Liebes. Wir sind alles, was du brauchst», sagte Schlitzer.

«Wir müssen nichts anderes tun, als die anderen Hunde aus der Schule herauszuholen», sagte Zausel.

«Aber wie?», wollte Schlitzer wissen.

«Wir sind Katzen. Wir sind schlau. Wir müssen uns etwas einfallen lassen!»

«Besonders ich», stimmte Velma zu.

Einen Moment lang herrschte Stille.

«Fressen!», meldete sich Pavarotti zu Wort.

«Sag bloß, du hast schon wieder Hunger?», erwiderte Schlitzer.

«Der große Pavarotti hat immer Hunger. Aber ich kenne Wesen, die sogar noch gieriger sind als die gierigste Katze der Welt …»

«HUNDE!», riefen die vier Katzen im Chor.

Und im Nu entwickelten sie einen NIEDERTRÄCHTIGEN MASTERPLAN ZUR VERNICHTUNG VON ROBODOG.

RATTI
DIE MAUS

Einsam und allein kam Robodog auf dem **Paradeplatz** zum Stehen.

«Ich muss ein echter Hund sein», sagte er trotzig. «Ich kann bellen, jagen, mich wälzen …»

«Mit wem redest du?», fragte eine Stimme.

«WER IST DA?», fragte Robodog zurück.

Daraufhin ertönte ein Pfiff.

«HUH-HUH! Hier unten!», sagte die Stimme.

Der Roboterhund senkte den Kopf und sah eine Ratte aus einem Gully klettern.

«Eine Ratte! Die muss ich wegsprengen!», sagte Robodog, dessen Laserauge einsatzbereit aus dem Kopf quoll.

«Ich bin keine Ratte!», log die Ratte und hob in panischer Angst die Pfoten. Ich bin bloß eine ungewöhnlich große und ziemlich hässliche Maus.»

«Die Aussage kann nicht verarbeitet werden», erwiderte Robodog.

«Was hast du jetzt vor?»

Robodog benutzte sein Röntgenauge, um das Wesen zu scannen. Sein Urteil war hart, aber gerecht. «Du siehst weder aus wie eine Maus, noch riechst oder klingst du wie eine.»

«Nun, uns Mäuse gibt es in allen Formen und Größen, genau wie euch Hunde.»

Das ließ Robodog innehalten. «Hast du gerade gesagt, dass ich ein Hund bin?»

«Na, was sollst du denn sonst sein?», prustete die Ratte.

«Ich weiß es nicht. Die anderen Hunde haben gesagt, ich wäre kein richtiger Hund … Das hat mich **traurig** gemacht. Ich hatte eine Träne im Auge.»

Der Ratte fehlten ausnahmsweise die Worte. Sie kletterte aus der Gosse und musterte das mechanische Wesen von oben bis unten. «Wie kann jemand so etwas sagen? Natürlich bist du ein Hund! Genau wie ich eine Maus bin, nicht wahr? Eine Sprengung ist nicht nötig.»

Robodog nickte.

«Ich bin Robodog.»

«Einfallsreicher Name für einen Roboterhund! Ich heiße **Ratti**.»

«Seltsamer Name für eine Maus.»

«Ach! Das habe ich meinen Eltern auch gesagt, aber haben sie auf mich gehört?»

«Das weiß ich nicht. Haben sie?»

«**Egal!** Aber eines musst du dir merken, Robodog: Du kannst in diesem Leben alles sein, was du sein willst.»

«Wie meinst du das, **Ratti**?»

«Wenn du dir von ganzem **Herzen** wünschst, ein Hund zu sein, wer kann dir dann verbieten, einer zu sein?»

«Ich habe kein **Herz**, mit dem ich mir etwas wünschen kann», wandte Robodog traurig ein. «Vielleicht denken die anderen Hunde deshalb, dass ich nicht echt bin.»

«Natürlich hast du ein **Herz**», erwiderte **Ratti**.

«Wirklich? Ich habe Raketen und einen Laser, aber ob ich ein **Herz** habe, weiß ich nicht.»

«Wenn du etwas fühlen kannst, weinen kannst wie wir anderen auch, dann muss irgendwo da drinnen ein **Herz** sein!»

Bei diesen Worten legte **Ratti** ihre schmutzige kleine Pfote auf die Brust des Roboters.

«Jetzt fühle ich noch etwas», sagte Robodog. «Etwas **Warmes**, Kuscheliges.»

«Ich wette, das ist ein Glücksgefühl. Jetzt, wo du es fühlst, fühle ich es auch!»

Robodog dachte kurz nach. «Ich kann vielleicht etwas fühlen, aber ich bin trotzdem nicht wie die anderen Hunde.»

«Wer will schon sein wie alle anderen? So wie ich keine Allerweltsmaus bin, bist du eben auch kein Allerweltshund! Das macht uns beide besonders. Und jetzt geh mit hocherhobenem Kopf zurück in diese Hütte und ruh dich ein bisschen aus.»

«Vielen Dank, Ratti.»

«Vielen Dank, Robodog, dass du mich nicht in die Luft gesprengt hast!»

«Keine Ursache!»

«Das könnte der Beginn einer wunderbaren Freundschaft sein», sagte die Ratte, ehe sie wieder im Abflussrohr verschwand.

EINE MILLIARDE DOLLAR

Robodog hatte bei den Prüfungen so hervorragend abgeschnitten, dass die Chefin fand, er sei bereit, in den dunklen und gefährlichen Straßen von **TUMULT** erprobt zu werden. Also nahmen sie und die Professorin den Roboterhund für einen Tag aus der Schule. Die anderen Hunde freuten sich so sehr darüber, dass sie vor Begeisterung losbellten, und am lautesten von allen bellte die Verlorene Patrouille, die mit Robodog die Hütte teilen musste.

«HURRA!», jubelten sie, als Robodog im Polizeiauto der Chefin weggebracht wurde.

«Gut, dass wir ihn los sind!», sagte Drücker.

«Hoffentlich kommt er nie wieder!», ergänzte Knorpel.

«Wer ist weg?», fragte Honki.

Von der Rückbank des Wagens aus sah der Roboterhund die Stadt **TUMULT** zum ersten Mal. Es war ein düsterer, bedrohlicher Ort, eine Stadt im Verfall – die bald der Schauplatz des größten Verbrechens aller Zeiten werden sollte!

An diesem Tag würde EINE MILLIARDE DOLLAR durch **TUMULT** transportiert werden. Das Geld musste von der Staatsdruckerei, in der die Scheine gedruckt wurden, zur größten Bank der Stadt gebracht werden.

Die **Schurken** von **TUMULT** wussten natürlich genau Bescheid. Über solche Dinge Bescheid zu wissen, gehörte für sie zum Geschäft – genau deshalb sind es ja **Schurken**.

Es handelte sich um eine so gewaltige Geldsumme, dass der Präsident fand, die Polizei sei mit der Bewachung des Transports überfordert. Klug wie er war, hatte er die Aufgabe deshalb der Armee übertragen. Auch wenn das für die Polizeichefin demütigend war, machte sie sich ebenfalls Sorgen, dass etwas schiefgehen könnte. Irgendjemand würde mit Sicherheit versuchen, die EINE MILLIARDE DOLLAR zu stehlen.

Und da niemand die dunklen und gefährlichen Straßen besser kannte als die Chefin, wollte sie mit ihrer brandneuen Geheimwaffe – ROBO-DOG – mitten im Geschehen sein!

An der Strecke, die der gepanzerte Konvoi entlangfahren würde, säumten Menschenmassen die Straßen, um das Ganze zu beobachten. Die Chefin, die Professorin und Robodog stellten sich an eine Straßenecke. Ein hochgewachsener General mit der Brust voller Orden entdeckte die Polizeichefin und marschierte sofort zu ihr.

«Schade, dass man die Sache nicht der Polizei von **TUMULT** überlassen kann, was, Frau Polizeichefin?», raunzte er. «Ein Glück, dass es die Armee gibt!»

«Ich freue mich auch, Sie zu sehen, General», erwiderte die Chefin.

«Ich habe das Ganze persönlich durchgeplant», prahlte der Mann. «Die EINE MILLIARDE DOLLAR wurde in einem Panzer deponiert.»

«In einem Panzer?»

«In dieser Stadt darf man kein Risiko eingehen! Und begleitet wird der Panzer nicht nur von einem oder zwei oder drei –»

«Sagen Sie uns einfach, wie viele es sind!», fiel ihm die Professorin seufzend ins Wort.

«Sondern von vier gepanzerten Fahrzeugen!», fuhr **der General** fort. «Sie befinden sich links, rechts, vor und hinter dem Panzer und bilden eine Mauer aus Stahl.»

«Und was ist bei einem Angriff von oben? Von einigen **Superschurken** der Stadt weiß man, dass sie nun auch von der Luft aus operieren.»

«Das wurde bereits bedacht. Sehen Sie, da oben!» **Der General** zeigte in den Himmel, wo ein Militärhubschrauber kreiste.

«Herr General!», trällerte Robodog.

«Wer hat das gesagt?»

«Hier unten, Herr General.»

Der General schaute nach unten. «Ich habe dich für einen neuartigen Mülleimer gehalten.»

«Frechheit!», sagte die Professorin.

«Was ist mit einem Angriff von unten, General?»

Der General schüttelte schnaubend den Kopf. «Wer oder was bist du?»

«Ich bin Robodog, die Zukunft der Polizeiarbeit!»

Der General lachte schallend los. «HA! HA! HA!

Als ob diese Metallkiste es mit den Bösewichten von **TUMULT** aufnehmen könnte! Sind Sie **verrückt** geworden, Frau Polizeichefin?»

Diese fand es unter ihrer Würde, darauf zu antworten.

«Ein Angriff von unten! **Was für ein Blödsinn!**»

«Ich verfüge über ein hochempfindliches Gehör», bemerkte Robodog, «und habe ein unterirdisches Klopfen gehört.»

«Das Ding ist wirklich witzig!», schnaubte **der General**.

«Ich kann es immer noch hören», sagte Robodog.

«Robodog könnte etwas auf der Spur sein, General», sagte die Professorin.

«Das glauben Sie doch selber nicht! Ach! Da kommt ja der Konvoi», sagte **der General** und sah auf seine Uhr. «Auf die Sekunde pünktlich!»

Der Panzer und die gepanzerten Fahrzeuge bogen in die Straße ein, in der die Gruppe wartete.

«Nichts und niemand kann diesen Konvoi aufhalten!», sagte **der General**.

Aber damit lag er falsch. Falscher als falsch. Falschissimo!*

Und jetzt lasst uns unter die Erde gehen!

Wie immer waren die Bösen den Guten einen Schritt voraus. Und im Fall von *GIGA-GRIPS* dem Meisterverbrecher war das ein *Riesenschritt*. Er trug seinen Namen, weil er der klügste Verbrecher war, der je gelebt hatte. *GIGA-GRIPS'* Körper war schon vor Jahrzehnten gestorben, aber sein Megahirn hatte er erhalten. Das riesige Gehirn lebte in einer mit Rädern versehenen Glaskugel.

---

* Dieses Wort ist so albern, dass es nicht einmal im **Walliamsikon** zu finden ist.

GIGA-GRIPS wurde wie immer von seiner Gehilfin Hammerhand begleitet. Hammerhand war eine kleine, runde, sehr ernste Frau, die bei einer Explosion, bei der sie mit zu viel Dynamit versucht hatte, einen Safe aufzusprengen, beide Hände verloren hatte.

KABUMM!

Jetzt hatte die Frau anstelle ihrer Hände zwei riesige Hämmer, die jede Menge Unheil anrichten konnten.

RUMS!

Trotz ihrer merkwürdigen Namen, *GIGA-GRIPS* und **Hammerhand**, waren die beiden das am meisten gefürchtete Verbrecher-Duo auf der ganzen Welt.

Heute hatte es das verruchte Paar auf die EINE MILLIARDE DOLLAR abgesehen. Und sie würden alles tun, egal wie schrecklich, um sie in die Hände (nun ja, die Hämmer) zu bekommen.

DER PLAN

GIGA-GRIPS' Plan war einfach, aber genial. Unter der Erde hatte sich **Hammerhand** mit ihren Hämmern an die Arbeit gemacht. Während sie gegen die Unterseite der Straße schlug, bis diese **Sprünge** bekam wie ein Frühstücksei, durfte sie nur kurze Pausen einlegen, um einen Schluck Tee zu trinken oder um auf die Toilette zu gehen. Ihr Hämmern in der Tiefe hatte Robodog mit seinem HOCH-EMPFINDLICHEN Gehör gehört.

2

Der Plan sah vor, die Straße so weit zu schwächen, dass sie einstürzen würde, sobald der superschwere Panzer mit der EINEN MILLIARDE DOLLAR darüberfuhr.

KNACKS!

3

Der Panzer würde in die Kanalisation stürzen.

Dann würden *GIGA-GRIPS* und **Hammerhand** mit Dynamitstangen ein Loch in den Panzer sprengen und sich mit der EINEN MILLIARDE DOLLAR aus dem Staub machen!

5

EINE MILLIARDE DOLLAR

Sie hatten sogar ein Mini-U-Boot, mit dem sie durch die Kanalisation ins Meer flüchten wollten. Es war der perfekte Plan. Dachte das ruchlose Paar jedenfalls. Aber sie hatten die Rechnung ohne Robodog gemacht!

6

ZUM MEER

Kehren wir an die Oberfläche zurück, wo **der General** immer noch herumprahlte.

«Wie du siehst, Robodog, sind die EINE MIL-LIARDE DOLLAR hundertprozentig …»

Doch noch ehe er «sicher» sagen konnte, verschwand der Panzer mit dem Geld von der Bildfläche.

KANACKS!

Er war in ein riesiges Loch in der Straße gestürzt.

Die gepanzerten Fahrzeuge kamen quietschend zum Stehen.

QUIETSCH!

Die Chefin warf **dem General** einen vielsagenden Blick zu.

«WAS ZUR …», donnerte der Mann, als er zu dem Loch hinüberrannte, in das sein Panzer gestürzt war.

«Raubüberfall im Gange!», meldete Robodog, der bereits zum Tatort hinübersauste.

«Sei vorsichtig, mein Baby!», rief die Professorin.

Der Chefin verschlug es fast die Sprache. «Hast du ihn gerade ‹Baby› genannt?»

«Ist mir so rausgerutscht!»

Robodog spähte in das tiefe, dunkle Loch in der Straße. Er konnte Lichtfunken sehen und hörte ein Zischen.

Der General kam nun hinzu und stellte sich direkt neben ROBODOG.

«AUS DEM WEG!», donnerte er.

«TRETEN SIE ZURÜCK, GENERAL!», rief Robodog. «DAS IST DYNAMIT!»

Doch es war zu spät.

Unter der Erde gab es eine gewaltige Explosion.

KABUMM!

Ein Feuerball schoss aus dem Loch.

WUMM!

EIN FLUSS AUS SCHLICK

Im Bruchteil einer Sekunde schossen Robodogs Tragflächen heraus, und er richtete sich auf.

PLING!

Mutig schirmte er den General, so gut es ging, vor der Explosion ab.

WUMM!

Dabei wurden beide nach hinten geschleudert.

«AAAH!»

Der General schlug mit einem PLUMPS auf der Straße auf!

Robodog landete auf ihm.

PLUMPS!

«Holt diesen dämlichen Blechhaufen von mir runter!», schrie der General.

Die Explosion erschütterte **TUMULT** wie ein Erdbeben. Die Chefin und die Professorin stolperten auf die beiden zu.

«ROBODOG!», schrie die Chefin.

«NEEEIIIN!», schrie die Professorin.

«SORGT EUCH NICHT UM DIESEN WANDELNDEN MÜLLEIMER!», donnerte **der General**. «SORGT EUCH LIEBER UM MICH!»

Die Damen machten sich ans Werk und rollten Robodog von dem nervtötenden Mann herunter.

«DIESES DING MUSS ZERSTÖRT WERDEN!», brüllte **der General**.

«Dieses Ding», belehrte ihn die Professorin, «hat gerade Ihr Leben gerettet!»

«Und wenn wir Glück haben», fuhr nun die Chefin fort, «rettet es gleich die EINE MILLIARDE DOLLAR! Alles in Ordnung, Robodog?»

«Ja, Chefin!», trällerte er, obwohl er durch die Explosion mit Ruß bedeckt war.

«Ausgezeichnet! Und jetzt hefte dich den Bösewichten und der EINE MILLIARDE DOLLAR an die Fersen!»

Robodog sauste wieder zu dem schwelenden Loch in der Straße.

SCHWIRR!

Ohne an seine eigene Sicherheit zu denken, stürzte sich Robodog in das Loch.

HECHT!

Als er den Kopf hob, sah er das riesige Loch in der Seite des Panzers.

«Die EINE MILLIARDE DOLLAR sind weg!»

Dann schaute er sich im Kanal um.

«Das müssen die Übeltäter sein!»,

sagte er zu sich.

«Aktiviere
SUBMAROBODOG!»

Dann nahm er die VERFOLGUNG
auf!
Als er in Schussweite kam, begann
sein Laserauge **ROT** zu glühen.

In weiter Ferne sah er ein Mini-U-Boot durch den **SCHLICK** pflügen.

Im nächsten Moment schossen sein Propeller und die Seitenruder heraus.

SCHWIRR!

Ein roter Blitzstrahl traf das Mini-U-Boot.

WUMM! ZAP!

Das Fahrzeug geriet außer Kontrolle ...

SCHWIRR!

... ehe es, seitlich im Kanal verklemmt, zum Stehen kam.

KNIRSCH!

Die Luke des Mini-U-Boots ging auf.

QUIETSCH!

«Ich bin Robodog, die Zukunft der Verbrechensbekämpfung. Ihr seid verhaftet!»

Dann hallte eine Stimme aus dem Mini-U-Boot durch den Abwasserkanal.

«HAU DRAUF, HAMMERHAND!»

Hammerhand erschien in der Luke und sprang, ihre gewaltigen Waffen schwingend, in den Schlick hinunter ...

PLOTSCH!

Sie watete auf Robodog zu.

«Ihr seid verhaftet, habe ich gesagt!», wiederholte Robodog.

Ein verschlagenes Grinsen überzog **Hammerhands** Gesicht.

Sie hob ihre Hämmer hoch in die Luft und ließ sie dann auf Robodog niederfahren ...

BAMM!

Die Wucht des Schlags war so enorm, dass Robodog rückwärts durch den Abwasserkanal geschleudert wurde.

Zum ersten Mal im Leben empfand Robodog Angst.

«HILFE!», schrie er, während er im Schlick Purzelbäume schlug.

Seine Stimme hallte durch die Kanalisation.

Natürlich konnte ihn so tief unter der Erde, im Labyrinth des städtischen Abwassersystems, niemand hören.

Außer …

Ratti!

Wie alle Ratten in **TUMULT** war auch **Ratti** in der Kanalisation zu Hause. Als sie Robodogs Schrei hörte, trieb sie gerade in einer kleinen Pappschachtel durch den Schlick und nagte an einem Stück Käse. Zumindest *hoffte* sie, dass es Käse war.

«H-I-L-F-E!»

Ratti hätte diese Roboterstimme überall erkannt. Sie gehörte ihrem neuen besten Freund, Robodog! **Ratti** sprang sofort auf und hüpfte auf den nächstbesten Gegenstand, der auf dem Schlick trieb und ihr Gewicht tragen konnte, dann auf den nächsten und übernächsten:

Eine Blechdose,   ein Tennisball.

eine Glasflasche,

«R-O-B-O-D-O-G!», rief sie in die Dunkelheit.

«R-A-T-T-I?»

«ICH KOMME ZU DIR!»

Die Abwasserkanäle waren ein einziges Labyrinth, aber Ratti kannte sie in- und auswendig.

Nach einigen Hopsern und Sprüngen fand sie
Robodog. Der bisher so prächtige Roboter war
nur noch ein zerbeulter Metallhaufen, der kopf-
über im Schlick dümpelte.

PLOPP!

  PLOPP!

PLOPP!

Sein Metallpanzer war verbeult, sein Propeller
verbogen und eines der Seitenruder abgebrochen.

«Oje», sagte Ratti. «Oje! Oje!»

«Vielen Dank!», gurgelte Robodog, dessen Kopf im Schlick steckte. Er schaffte es gerade noch, sich ein wenig zu drehen, sodass sein Gesicht wieder zum Vorschein kam.

«Was ist denn passiert, um Himmels Willen?», fragte Ratti.

«Eine Frau mit Hämmern als Händen hat mich durch den Kanal geschleudert.»

Ratti zuckte mit den Schultern. «Nicht gerade die Antwort, die ich erwartet hatte, aber fahre bitte fort …»

«Außerdem war da eine Männerstimme, die ihr aus dem U-Boot heraus Befehle zugebrüllt hat.»

«*GIGA-GRIPS!*», rief Ratti.

«Du kennst ihn?»

«Kennen? Er ist eines der größten kriminellen Superhirne, die jemals durch die Straßen dieser erbärmlichen Stadt gelaufen oder besser gerollt sind!»

«Gerollt?»

«*GIGA-GRIPS* besteht nur aus Gehirn.»

«Nur aus Gehirn?»

«Nun ja, einem riesengroßen Gehirn, das in einem Fischglas auf Rädern schwebt!»

«Dieses riesengroße Gehirn hat gerade EINE MILLIARDE DOLLAR gestohlen! *GIGA-GRIPS* und seine Gehilfin entkommen gerade!»

Ratti überlegte einen Moment. «Unter der Erde gibt es nur einen Weg aus der Stadt heraus. Alle Abwasserkanäle führen zum Fluss. Dorthin müssen sie unterwegs sein. KOMM!»

Mit diesem Wort sprang sie auf Robodogs Kopf. Aber statt loszusausen, dümpelte der Roboter weiter im Schlick. Sein Propeller gab nur ein jämmerliches Gurgeln von sich. Er war verbogen und konnte nichts mehr antreiben.

SCHWURGEL!

«FEHLFUNKTION! FEHLFUNKTION!», rief Robo-dog verzweifelt, ehe er aufgab. Der Propeller blieb gluckernd stehen.

«Lass mich dir helfen!», sagte **Ratti**. «Ratten, ich meine Mäuse, sind stärker, als sie aussehen!»

Sie sprang vom Kopf ihres Freundes und landete im Schlick.

PLOpP!

Dann begann **Ratti** mit ihren kleinen Beinchen so fest sie konnte zu strampeln und versuchte, ihren metallenen Freund vorwärtszuschieben, aber das war unmöglich.

«Es geht nicht!»

«Du kannst nichts dafür, **Ratti**. Es liegt an mir! Ich bin nutzlos!», sagte Robodog.

«Sei nicht dumm!»

«Ich bin nicht dumm! Echte Hunde haben Beine, mit denen sie schwimmen können. Und keinen verbogenen Propeller und ein abgerissenes Seitenruder!»

«Du bist etwas **Besonderes**, schon vergessen?»

«Ich fühle mich aber nicht so!»

«Trotzdem ist es so, und als jemand Besonderes

musst du einfach nur auf eine Idee kommen, die ebenfalls besonders ist.»

Ratti kletterte wieder auf Robodogs Kopf, steckte ein paar Zehen in den Mund und stieß einen lauten Pfiff aus.

«P F ı ı I !»

Der Ton hallte durch die Kanalisation. Dann war es einen Moment lang still.

«Worauf warten wir?», fragte Robodog.

«Pst!», brachte ihn **Ratti** zum Schweigen.

Zuerst war nur ein leises Grollen zu hören, dann wurde es lauter und lauter, bis das Grollen ohrenbetäubend war. Ein Haufen Ratten kam in einem Eisbecher durch den Schlick auf sie zugesteuert. Angetrieben wurden sie von einem elektrischen Handmixer.

SCHWIRR!

Der Mixer funktionierte wie der Außenbordmotor eines Bootes.

«Wer ist das?», fragte Robodog.

«Das sind Rattenkollegen, ich meine Mäuse.»

«Hä, was?», fragte ein besonders großer Nager.

«Macht einfach mit», zischte **Ratti**. «Ich erkläre es euch später, Freunde! Dieser Hund hier muss abgeschleppt werden!»

«Das ist kein Hund!», dröhnte ein kleiner Nager mit tiefer Stimme.

«Dafür haben wir jetzt keine Zeit!», schnitt **Ratti** ihm das Wort ab. «**EINE MILLIARDE DOLLAR** sind verschwunden!»

«Das ist eine Menge Käse!», bemerkte der Kleine.

«**GIGA-GRIPS** und **Hammerhand** machen sich gerade mit dem Geld aus dem Staub!», fügte Robodog an.

«Werft mir eure Leine zu!», befahl **Ratti**. «Wir brauchen einen Abschleppdienst, um sie zu verfolgen!»

Eine Art Seil wurde geworfen, und **Ratti** befestigte es an Robodogs Kopf.

«Erledigt!»

«Wohin jetzt?», fragte der große Nager.

«Da entlang!», rief **Ratti** und zeigte in einen kleinen Nebentunnel. «Wenn wir schnell genug sind, fangen wir die Bösewichte dort ab, wo die Kanalisation auf den Fluss trifft!»

«Schaltet den Mixer auf Superschnell!», befahl der kleine Nager.

SCHWIRR!

AKATZROBATIK

An der Oberfläche kam es unterdessen zu einer regelrechten Verbrechensepidemie.

Einer Epidemie von Katzenverbrechen!

Willkommen zu …

TEIL EINS DES MASTERPLANS DER KATZEN ZUR ZERSTÖRUNG VON ROBODOG:

KLAUT ALLE HUNDELECKERLIS IN TUMULT.

Auf Velmas Befehl hin hatte sich ihre Katzenbande als Mensch verkleidet. Dabei waren mehrere Katzen übereinandergeklettert wie bei einer Akrobatiknummer.

Oder einer Akatzrobatik*-Nummer.

Ganz unten stand Pavarotti, dann kam Zausel, dann Schlitzer und ganz oben Velma.

Sobald jede Katze auf den Schultern der anderen

---

* Schlag in deinem **Walliamsikon** nach. Nur in Ramschkisten erhältlich.

stand, hüllte sich der Katzenturm in einen langen Mantel
und setzte Hut und Sonnen-
brille auf.

Velma hatte sich aus den
Schränken ihrer Frauchen
jede Menge Sachen ge-
krallt.

Anschließend wankte
der Katzenturm in
voller Verkleidung
in die größte
Tierhandlung von
TUMULT. Schlitzer
vergrub eine Pfote
in der Manteltasche,
sodass es aussah, als
halte er dort eine
Waffe bereit.

Dann gestikulierte
Velma, die mit Hut
und dunkler Brille
ganz oben stand,

dass man ihr sämtliche Hundeleckerlis aushändigen sollte.

Die Beute mit vier verschiedenen Pfotenpaaren umklammert, wankte der Katzenturm aus dem Laden.

Dann taten sie das Gleiche in der nächsten Tierhandlung. Und in der nächsten. Und übernächsten.

Bald hatten Velma und ihre Bande die Hundeleckerlis sämtlicher Tierhandlungen der Stadt geraubt.

Jetzt brauchten sie nur noch einen Lastwagen. Als sie vor einer Tierhandlung einen LKW mit laufendem Motor stehen sahen, sprangen die Katzen hinein und fuhren davon. Velma saß am Steuer, Schlitzer auf dem Gaspedal, Pavarotti auf Kupplung und Bremse, und Zausel bediente den Schaltknüppel.

«KOMMT SOFORT ZURÜCK!», rief der Lastwagenfahrer.

Aber die Katzen waren zu schnell für ihn. Sie rasten die Straße hinunter und krachten gegen alles, was sich am Straßenrand befand:

Laternenpfähle
KNIRSCH!

Bushaltestellen
BONG!

Imbissbuden
BUFF!

Verkehrsampeln
DÄNG!

Polizeiautos
PENG!

Da sie eine Katze war, hatte Velma natürlich nie einen Führerschein gemacht. Wenn ich es recht bedenke, hatte sie auch nie eine Fahrstunde absolviert! **Keine einzige!**

Kehren wir nun unter die Erde zurück, in die Tiefen von **TUMULT**, wo Robodog von Ratten durch ein Labyrinth kleinerer Abwasserkanäle gezogen wurde …

«Links! Rechts! Wieder rechts! Achtet auf die Biegung!», rief **Ratti**.

Es dauerte nicht lang und sie befanden sich in der SUPERRÖHRE, dem größten Abwasserkanal von **TUMULT**. Er führte direkt zum Fluss Moder und von dort war es nicht mehr weit bis zum Meer. Unsere **Helden** hatten nur dann eine Chance, *GIGA-GRIPS* und **Hammerhand** daran zu hindern, sich mit der EINEN MILLIARDE DOLLAR aus dem Staub zu machen, wenn sie die beiden abfingen, ehe sie zum Fluss gelangten. Hatte das Mini-U-Boot das offene Wasser erst erreicht, wäre ihre Flucht besiegelt. Der Fluss mündete ins Meer, und von dort aus konnte das Verbrecher-Duo in die ganze Welt flüchten.

Nachdem unsere **Helden** viele Kilometer durch dunkle Tunnel gefahren waren, tauchte in der Ferne ein kleiner heller Punkt auf. Der Punkt wurde größer und größer, bis daraus ein Lichtkreis wurde.

«Bald haben wir es geschafft!», rief Ratti.

«Woher willst du wissen, dass wir nicht zu spät kommen?», fragte Robodog.

«Hör doch!», sagte der große Nager.

Der Quirlmotor wurde abgestellt und sie trieben in ihrem Eisbecher lautlos durch den Schlick.

Hinter ihnen drang das Brummen des Mini-U-Boots aus der Superröhre.

SCHWIRR!

«Unsere Abkürzung hat funktioniert! Sie werden gleich da sein», sagte Ratti. «Jetzt müssen wir uns nur noch überlegen, wie wir sie aufhalten können!»

«WIR ENTERN IHR SCHIFF UND KNABBERN SIE BEIDE TOT!»,

erklärte der kleine Nager, sehr zur Freude der anderen.

«GENAU!»

«Ich weiß, wie!», trällerte Robodog. «Ich weiß, wie wir sie lebendig erwischen können!»

«LANGWEILIG!», riefen die Ratten.

«Dreht mich um!»

Nachdem die Ratten getan hatten, was Robodog verlangt hatte, zeigte sein Hinterteil nun zum Lichtkreis.

«Bleibt zurück!», warnte er.

Und dann …

ZACK!

… feuerte Robodog ein Netz aus seinem Hinterteil.

Wie ein Spinnennetz breitete es sich über den Auslass der Superröhre.

ZOCK!

«Du bist ein Genie!», rief **Ratti**.

«Dumm bin ich jedenfalls nicht!», stimmte Robodog ihr zu.

Währenddessen kam **GIGA-GRIPS'** Mini-U-Boot durch den Schlick weiter auf sie zugerauscht.

PLOTSCH!

«Wir müssen ausweichen!», rief **Ratti**.

«Dazu ist keine Zeit!», rief der große hässliche Nager.

«Wappnet euch für den Aufprall!», rief Robodog. «In drei, zwei, …»

Aber bevor er «eins» sagen konnte, stieß das Mini-U-Boot auch schon mit ihnen zusammen.

ZACK!

Gemeinsam schossen sie auf das Netz zu …

ZANG!

… ehe sie mit voller Wucht wieder abprallten und durch die Superröhre zurückschossen!

HUI!

DER FALLSCHIRM

Nun sausten **Helden** wie **Schurken** durch die Superröhre und schlitterten über den Schlick.

Robodog konnte durch das Bullauge in das Mini-U-Boot hineinsehen. **Hammerhand** stand die

Panik ins Gesicht geschrieben. Und selbst **GIGA-GRIPS'** Gehirn schwamm in wilden Kreisen durch seine Glaskugel. Allerdings war das angesichts der Umstände nicht weiter überraschend: Sie flogen mit hundertsechzig Stundenkilometern rückwärts durch einen Abwasserkanal!

Was das ruchlose Paar nicht ahnen konnte, unsere **Helden** aber schon, war die Tatsache, dass sie jeden Moment gegen den Panzer knallen würden, der die EINE MILLIARDE DOLLAR transportiert hatte.

KADENG!

Das Heck des Mini-U-Boots knallte gegen die Kanone des Panzers.

KNIRSCH!

Das Mini-U-Boot wurde auf die Hälfte seiner Größe zusammengedrückt.

«Wir werden sie rammen!», schrie Ratti.

Aber Robodog war schon einen Schritt weiter.

«Fallschirm ABFEUERN!», trällerte er.

Der Fallschirm schoss aus seinem Rücken.

WOMP!

Robodog, **Ratti** und die anderen Ratten kamen sanft zum Stehen.

«Vielen Dank, Robodog!», riefen die Ratten.

«Ich danke *euch*, ihr Mäuse!», erwiderte er. «Gut gemacht!»

«HILFE! WIR SIND GEFANGEN!», schrie **GIGA-GRIPS** aus dem Innern des Mini-U-Boots.

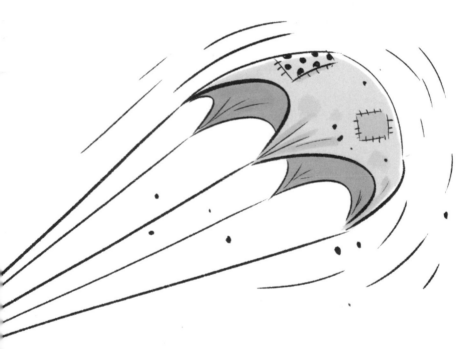

Mit seiner Bohrmaschinennase schnitt sich Robodog durch die Hülle.

SURRR!

Dann hob er das ruchlose Duo mit seinen Greifern heraus. Während **Ratti** auf seinem Kopf
sitzenblieb, aktivierte er sein Starttriebwerk.

DRÖHN!

Sie flogen durch das panzergroße Loch in der
Straße und hoch über **TUMULT**.

Die Menschenmenge, die bisher in das Loch ge-
starrt hatte, schaute nun zum Himmel auf. Die
Leute johlten und jubelten.

«HURRA!»

Aber niemand jubelte lauter als die Professorin.

«AUF GEHT'S, ROBO, AUF GEHT'S!»

Die geniale Erfinderin tanzte vor der Menschenmenge ihren Cheerleader-Tanz. Diesmal hielt sie
niemand auf.

«AUF GEHT'S, ROBO, AUF GEHT'S!»

Im Gegenteil! Die Menge stimmte in den
Sprechgesang mit ein.

«AUF GEHT'S, ROBO, AUF GEHT'S!»

Der General starrte mit offenem Mund und vor
STAUNEN weit aufgerissenen Augen zu Robo-
dog hinauf, der über ihnen in der Luft schwebte.
Die Chefin schob sich neben den Mann.

«Dieser Roboterhund hat mehr erreicht als Ihre ganze Armee!», stichelte sie.

«Ich bin Robodog. Willkommen in der Zukunft der Verbrechensbekämpfung», rief Robodog zur Freude aller.

«HURRA!»

Kameras hielten den magischen Moment fest.

KLICK!

Eine Legende war geboren!

Wie ein echter Superheld setzte Robodog die Verbrecher sicher auf dem Boden ab.

PLONK!

Die Polizeichefin verhaftete die beiden unverzüglich, auch wenn nicht klar war, wie man einem Gehirn, das in einer Glaskugel trieb, Handschellen anlegen sollte.

«Ausgezeichnete Arbeit, Robodog», rief die Chefin.

«Bist du verletzt?», fragte die Professorin.

«Nein, nein», log der Roboter.

Da meldete sich **der General** energisch zu Wort.

«HUNDEROBOTER!», donnerte er.

«Das ist zwar nicht mein Name, aber fast», erwiderte Robodog.

«Wo *ist* die EINE MILLIARDE DOLLAR?»

Robodogs Kopf schwenkte herum wie der einer Eule.

Der Geldsack war nirgends zu sehen.

«Die Ratten!», rief Ratti.

«Ich bin gleich wieder da, General!», sagte Robodog und flog mit Ratti auf dem Kopf zurück in die Kanalisation.

Wie sich herausstellte, waren die Ratten nicht weit gekommen. Und das nicht zuletzt deshalb, weil sie den **schwersten** Geldsack der Welt mit sich schleppten.

«HALT, IM NAMEN DES GESETZES!»,
rief der Roboterhund.

«Oh! Hallo, Robodog!», rief der kleine Nager. «Wir wollten dir gerade die EINE MILLIARDE DOLLAR zurückbringen, nicht wahr, Leute?»

Die anderen Ratten brachen in halbherzigen Jubel aus.

«HURRA!»

«Ihr habt die falsche Richtung eingeschlagen», sagte Ratti.

«Ach, wirklich? Wie dumm von uns! Bitte spreng uns nicht in die Luft, Robodog! Und sorg dafür, dass diese Tonne Geld sicher in der Bank landet und nicht komplett für Käse ausgegeben wird.»

Wenig später landete der Geldsack vor den Füßen **des Generals**.

«EINE MILLIARDE DOLLAR, Herr General», trällerte Robodog.

«Endlich!», rief der Mann.

Er machte Anstalten, den Sack aufzuheben.

«Verzeihen Sie, General», mischte sich die Chefin ein, «aber ich muss schon sagen, dass die Armee dieser Aufgabe einfach nicht gewachsen war.»

«Wie können Sie es wagen!», polterte der Mann.

«Ich wage es! Und ich tue es! Das ist jetzt eine Aufgabe für die Polizei. Oder besser gesagt, für einen ganz besonderen Polizeihund! Robodog, bitte sorge dafür, dass die EINE MILLIARDE DOLLAR sicher zur Bank gebracht wird!»

«Jawohl, Chefin!», trällerte Robodog, der den Geldsack mit seinen Greifern fest umklammert hielt.

«Sofort, Chefin!», fügte Ratti mit einem kleinen Salut hinzu.

DRÖHN!

Ehe der General widersprechen konnte, sausten die beiden über **TUMULT** hinweg und der schwere Geldsack schwang von einem Wolkenkratzerdach zum nächsten.

BOING! BOING! BOING!

MITTERNACHTS-SCHMAUS

Unterdessen rasten die Katzen in ihrem gestohlenen Lastwagen zur **POLIZEIHUNDE-SCHULE**.

BRUMM!

Hier kommt *TEIL ZWEI* DES MASTERPLANS DER KATZEN ZUR ZERSTÖRUNG VON ROBODOG:

> LOCKT MIT DEN GEKLAUTEN LECKERLIS SÄMTLICHE HUNDE AUS DER POLIZEIHUNDE-SCHULE, DAMIT ROBODOG WEHRLOS IST.

Velma saß immer noch hinter dem Lenkrad und rief ihren drei Katzen-Komplizen, die Schaltknüppel und Pedale bedienten, Anweisungen zu.

«Kuppeln! In den Vierten hochschalten! Rote Ampel! Gas geben!»

Unnötig zu erwähnen, dass es auf ihrer Fahrt zahllose Zusammenstöße gab.

KRACH!

BÄM!

RUMS!

Während es allmählich dunkel wurde, kam die Schule in Sicht. Velma stellte den Motor ab und ließ den Lkw die restliche Strecke ausrollen. Sie wollte nicht sämtliche Hunde aufwecken.

Kurz darauf sprangen die Katzen lautlos aus der Fahrerkabine und schlichen zu einem Baum, dessen Äste auf den **Paradeplatz** hinüberragten.

Leichtfüßig kletterten sie auf den Baum und sprangen auf der anderen Seite der Mauer auf das Schulgelände. So leise wie möglich öffneten sie das hohe Metalltor. Dann rollten sie den Lkw in Position, dessen Ladefläche sich nun direkt zwischen den Torflügeln befand.

Als Nächstes zogen sie die Rampe herunter und luden sämtliche Tüten und Beutel mit Hunde-leckerlis ab.

Mit ihren scharfen Krallen rissen die Katzen die Tüten auf.

KRATZ!

Und schließlich verstreuten sie die Leckerlis vom Inneren des Lastwagens bis ans Ende des **Paradeplatzes**.

Velma hielt sich einen der kleinen braunen Kugeln vor die Nase und schnupperte daran.

«Widerlich!», fauchte sie.

Pavarotti steckte sich eine in den Mund.

«Nach den ersten hundert Stück», murmelte er kauend, «gewöhnt man sich an den widerlichen Geschmack.»

Nachdem sie die längste Leckerli-Spur der Welt gelegt hatten, begannen die Katzen geräuschlos alle Zwingertüren zu öffnen. Drinnen schnarchten die Hunde nach einem harten Trainingstag.

«ZZZZ!»

Die einzige Unterkunft, die sie übersahen, war die schäbige kleine Hütte jenseits des **Paradeplatzes**. Dort war natürlich die Verlorene Patrouille zu Hause.

Sobald alle Türen offen waren, rannten die Katzen zum Wagen zurück. Pavarotti hatte die kräftigste und **lauteste** Stimme, deshalb erhielt er die Aufgabe, zu rufen …

«LECKERLIS!»

Wenn es etwas gibt, das garantiert jeden Hund aufweckt, dann ist es das Wort «LECKERLIS».

Alle einhundert Hunde waren auf der Stelle hellwach, stürmten über den **Paradeplatz** und verschlangen so viele Leckerlis, wie sie nur konnten.

SCHLING! SCHLING!

SCHLING!

Es war ein Mitternachtsschmaus ungeheuerlichen Ausmaßes!

Die Hunde hatten noch nie so viele Leckerlis gesehen!

Es war, als wären alle ihre schönsten Träume wahr geworden!

Sie ahnten ja nicht, dass sich das Ganze schon bald in einen **ALBTRAUM** verwandeln würde!

Die Leckerli-Spuren führten

direkt in den Laderaum des Lastwagens. Ohne an irgendetwas anderes zu denken als an ihren Heißhunger, rannten die Hunde die Rampe hinauf und stürmten ins Wageninnere, um sich auch über die auf dem Boden verstreuten Leckerlis herzumachen.

SCHLING! SCHLING! SCHLING!

Als alle Hunde drin waren, sprang Schlitzer vom Dach des Wagens und riss dabei das Rollgitter herunter.

RUMS!

Jetzt saßen die Hunde in der Falle.

«LOS! LOS! LOS!», befahl Schlitzer und klatschte mit der Pfote an die Seite des Lastwagens, bevor er wieder in die Fahrerkabine sprang.

Während Pavarotti sich auf die Kupplung hockte, legte Zausel den ersten Gang ein.

KNIRSCH!

Pavarotti warf sich aufs Gaspedal.

PLUMPS!

Velma hielt das Lenkrad mit einem finsteren Lächeln im Gesicht.

Hinten im Laderaum stimmten die Hunde ein schreckliches Geheul an.

«JAUU! JAUU! JAUU!»

Aber die niederträchtigen Katzen kannten kein Erbarmen.

Der Lastwagen verschwand mit seiner jaulenden Ladung in der Dunkelheit.

BRUMM!

EPISODE NEUNZEHN

HUNDENAPPING

Die Verlorene Patrouille bekam von dem ganzen Drama nichts mit. Weitab vom Geschehen schliefen die drei Hunde in ihrer Hütte tief und fest. Erst als Robodog von seinem unglaublichen Abenteuer zurückkehrte, wachten sie auf und merkten, dass etwas passiert war.

«Wo sind die anderen Hunde?», fragte Robodog, als er in die Hütte ratterte. Der Roboterhund sah praktisch aus wie neu, nachdem die Professorin ihn in ihrem **LABOR** liebevoll wieder in Form gebracht hatte.

Drücker, Knorpel und Honki waren nicht erfreut, ihn zu sehen, und schon gar nicht zu dieser frühen Stunde. Es war inzwischen fast Morgen.

«Hau bloß ab, du wandelnder Mülleimer!»

«Wir versuchen zu schlafen!»

«Irgendjemand muss ihn ausschalten!»

Robodog ließ sich nicht beirren. «Ich habe gerade sämtliche Zwinger doppelt und dreifach überprüft. Sie sind alle leer. Warum?»

«Ich weiß es!», meldete sich Honki zu Wort. Die anderen sahen sie erstaunt an.

«Ja?»

«Weil da keine Hunde drin sind.»

«Ich weiß, dass in den Zwinger keine Hunde sind, aber warum?», fragte Robodog nun ein wenig lauter.

«Vielleicht sind sie alle zum Pinkeln rausgegangen?», vermutete Drücker. Er würde auf keinen Fall nach draußen gehen, um nachzuschauen.

«Alle gleichzeitig?», fragte Robodog.

«Es ist noch nicht mal hell!», beschwerte sich Knorpel gähnend. «Ich brauche meinen Schönheitsschlaf!»

«ALSO GUT, VERLORENE PATROUILLE!», kommandierte Robodog. **«IHR STEHT JETZT SOFORT AUF!»**

Keiner rührte sich vom Fleck. Und quasi als

Sahnehäubchen auf dieser Beleidigung, hob Knorpel das Bein und entließ einen Furz. Es war einer von der langen, langsamen Sorte, die sich anhörten wie eine Wespe, die ganz allmählich in den Tod stürzt.

ZZZZZZZZZZZZZZZZZZZZZZZZZZZZZ!

BZZZZZZZZZZZ

«Aktiviere **Sirene!**», trällerte Robodog. Das blaue Blinklicht auf seinem Kopf begann zu blinken, und eine Sirene heulte los.

Die drei Hunde hassten diesen Ton.

«AAAH!»

«HÖR AUF!»

«MEINE OHREN!

MEINE ARMEN

PUSCHELOHREN!»

«**Sirene!**

Lauter!», befahl

Robodog.

WIIUU! WIIUU! WIIUU!

Der Ton war jetzt **ohrenbetäubend.**

«Schon gut! Schon gut!», rief Drücker. «Wir hören dir zu, Robodog! Was willst du?»

«Deaktiviere Sirene!»

Die Sirene verstummte.

«Es sieht so aus, als wären die anderen Polizeihunde einem Hundenapping zum Opfer gefallen!»

«Einem Hundenapping?», stammelte Drücker.

«HUNDENAPPING?», rief Knorpel.

«HUNDENAPPING?», schrie Honki. «Das ist ja furchtbar.» Dann überlegte sie einen Moment lang. «'tschuldige, aber was bedeutet ‹Hundenapping› überhaupt? Machen die anderen Hunde alle ein Nickerchen, oder was?»

«NEIN!», brüllte Robodog. **«ES BEDEUTET, DASS DIE HUNDE GEGEN IHREN WILLEN MITGENOMMEN WURDEN!»**

Honki schüttelte den Kopf. «Das ist wirklich furchtbar», murmelte sie, ehe sie wieder ratlos dreinschaute. «Und was bedeutet ‹gegen ihren Willen›?»

«Es bedeutet, dass sie nicht fortgehen wollten.»

«Wohin?»

«Das weiß ich nicht», antwortete Robodog. «Genau das müssen WIR herausfinden.»

Die Verlorene Patrouille starrte ihn an. «WIR?», fragten die drei wie aus einer Schnauze.

Währenddessen rasten die Katzen mit ihrem gestohlenen Lastwagen durch **TUMULT** zum *Haus Fussel*.

BRUMM!

Aufgepasst! Hier kommt *TEIL DREI* DES MASTERPLANS DER KATZEN ZUR ZERSTÖRUNG VON ROBODOG:

> *NEHMT DIE CHEFIN UND DIE PROFESSORIN GEFANGEN!*

Velma überholte alles, was ihr in den Weg kam, und rammte jedes Fahrzeug, das ihr nicht rechtzeitig Platz machte.

RUMS!

Schon bald wurde der Lastwagen von einem Dutzend Polizeiautos verfolgt.

WIIUU! WIIUU! WIIUU!

Velma drehte das Lenkrad hin und her und schubste alle von der Straße.

Im Laderaum des Lastwagens heulten derweil die entführten Hunde ...

«JAUU! JAUU! JAUU!»

... während sie wild durcheinandergeschleudert wurden.

Weiter vorn hatte eine Reihe von Polizeiautos eine Straßensperre gebildet.

«Gib alles, Großer!», rief Velma Pavarotti auf dem Gaspedal zu.

Pavarotti drückte mit seinem ganzen Gewicht aufs Gas, und der Lastwagen flog förmlich davon.

SAUS!

Er donnerte geradewegs auf die Straßensperre zu.

«SCHNELLER! SCHNELLER!»

Zausel sprang auf Pavarotti, und gemeinsam drückten sie das Gaspedal bis zum Boden durch.

BRUMM!

Die Polizisten sprangen aus dem Weg …

AAAH!

… als der Lkw die Straßensperre durchbrach …

BUFF!

… die Polizeiautos durch die Luft flogen …

WIRBEL!

… und wie Blechdosen auf den Boden knallten.

Der Lkw raste immer noch unbeirrt weiter. Velma war ein Geschwindigkeitsmonster. Das war auch der Grund, warum sie, statt vor **Haus Fussel** stehen zu bleiben, geradewegs hineinbretterte.

KRACH!

Die gesamte Vorderfront des schönen alten Hauses brach zusammen.

POLTER!

Die arme Chefin und die Professorin wurden unsanft geweckt, als die Wand ihres Schlafzimmers vor ihren Augen einstürzte.

«EIN ERDBEBEN!», schrie die Chefin, denn das war die einzig vernünftige Erklärung dafür, dass ihr Haus nur noch zur Hälfte stand.

Die Professorin klammerte sich entsetzt an ihre Frau. «Oder ist bei uns eine Bombe eingeschlagen?», rief sie.

Eine riesige Staub- und Trümmerwolke umgab die beiden Frauen, die husteten und spuckten.

«HUST! HUST!»

Dann tauchte aus der Wolke eine vertraute Gestalt auf.

«VELMA?», schrien die beiden Frauen.

Die böse Katze saß jetzt mit einem fiesen Grinsen im Gesicht auf dem Dach der Fahrerkabine.

«TII! HII! HII!», kicherte sie.

SUPERKATZEN!

GENAU!», rief Robodog in der Hütte der Verlorenen Patrouille. «WIR! Wir müssen zusammenarbeiten, um die entführten Hunde zu finden. Außerdem möchte ich euch eine kleine Freundin vorstellen, die mir beim Kampf gegen die Schurken geholfen hat!»

Dann rief Robodog: «Du kannst reinkommen.»

«Sind da drin irgendwelche Hunde?», fragte eine Stimme auf der anderen Seite der Tür.

«Nur drei!»

«Bist du sicher, dass ich reinkommen kann?»

«Ja. Natürlich kannst du», antwortete Robodog, ehe sein Kopf wieder zur Verlorenen Patrouille herumschwenkte.

«Ihr würdet einer Maus doch nichts zuleide tun, oder?»

«Einer Maus? Nein!», versicherte Drücker.

«Niedliche kleine Dinger», stimmte Knorpel zu.

«Niemals!», rief Honki.

«Gut», sagte Robodog, dessen Kopf wieder zur Tür schwenkte. «Du kannst reinkommen, Ratti!»

Die drei Hunde sahen sich an. Sogar Honki fand, dass das für eine Maus ein seltsamer Name war.

Auf Zehenspitzen tippelte Ratti schüchtern in die Hundehütte. «Hallo! Ich bin Ratti!»

Wieder sahen sich die drei Hunde an.

«Ich sehe schon, dass ihr euch gut verstehen werdet», erklärte Robodog.

«EINE RATTE!», heulte Drücker auf.

Die drei Hunde drehten durch!

Kläffend jagten sie das kleine Wesen durch ihre Hütte.

«HÖRT AUF!», befahl Robodog.

Aber das taten sie nicht. Sie waren bei Rattis Anblick in einen Rausch geraten.

«Ich bin nur eine große, hässliche Maus!», schrie Ratti.

Doch das hielt die Hunde nicht auf. Sie prallten
auf ihrer Verfolgungsjagd gegen die Wände.

KRACH!

RUMS!

WACKEL!

POLTER!

Kurz darauf brach die ganze Hütte zusammen.
Ratti konnte sich nirgends mehr verstecken,
also sprang sie auf Robodogs Kopf.

«SAG IHNEN, DASS SIE AUFHÖREN SOLLEN, ROBODOG!», flehte sie.

«STOPP!», befahl Robodog, und sandte mit seinem Laserauge einen Warn-strahl aus.

ZONG!

Der Boden glühte.

SCHMURGEL!

Es wurde ruhig, abgesehen vom Knurren der drei Hunde.

«GRRRRRRRR!»

Für sie gab es nur noch die Jagd nach der Ratte. Nichts anderes zählte mehr auf der Welt, jetzt und bis in alle Ewigkeit!

«Wie könnt ihr das einer armen, wehrlosen Maus nur antun?», schimpfte Robodog.

Die Verlorene Patrouille tauschte ungläubige Blicke.

«Das ist eine Ratte!», rief Drücker. «Hunde fangen nun mal Ratten!»

«Sie heißt sogar **Ratti**!», pflichtete Knorpel ihm bei. «**Ratti**, die Ratte!»

«Sogar ich weiß, dass **Ratti** eine Ratte ist, und ich bin so belämmert wie ein Lamm!», schloss Honki.

«Beleidige die Lämmer nicht!», ermahnte sie Drücker.

«**Ratti** ist eine Maus!», sagte Robodog.

«Er hat es gesagt», ergänzte **Ratti**.

«Jetzt hört mit dem Unsinn auf, Verlorene Patrouille! Wir haben wichtige Aufgaben zu erledigen», fuhr Robodog fort. «Wir müssen unsere Hundekollegen finden!»

«Vielleicht ist das doch keine so gute Idee», murmelte **Ratti**, die die Verlorene Patrouille misstrauisch beäugte.

«Hundekollegen?», spottete Drücker.

«Ja», erwiderte Robodog mit ausdrucksloser Stimme.

Drücker verdrehte die Augen. Er und seine beiden Freunde lachten.

«HA! HA! HA!»

«DU BIST ABER KEIN HUND!», rief Drücker.

Robodog sah zu Boden.

«Er ist ein besserer Hund, als ihr es jemals sein werdet!», fauchte **Ratti**.

Das Gelächter verstummte auf der Stelle. Und die drei zogen die Mundwinkel nach unten.

Robodog hob seinen Metallkopf. **«FOLGT MIR!»** Schon rollte er los. «Das ist eure Chance, doch noch zu **Helden** zu werden, Verlorene Patrouille!»

«Muss das sein?», fragte Drücker.

«UND OB!»

Die **Schurken** waren ihnen weit voraus. Sie waren inzwischen bei *TEIL VIER* DES MASTERPLANS DER KATZEN ZUR ZERSTÖRUNG VON ROBODOG:

VERSCHAFFE DIR SUPERKRÄFTE!

Die Katzen zwangen die Professorin, ihnen spezielle gepanzerte Schutzanzüge anzufertigen, wie Robodog einen hatte. Sollte die Professorin sich weigern, würde ihre geliebte Frau, die Chefin, ein grausames Ende finden. All das kommunizierte Velma mit einem Stift in der Pfote, mit dem sie eine Reihe von Zeichnungen wie diese hier anfertigte ...

Die Zeichnungen waren so grausam, dass die Professorin sie mühelos verstand!

«NEIIIN!», schrie sie.

Haus Fussel stand am Rande einer Klippe. Die Katzen hatten die Chefin auf den Fahrersitz des Lastwagens gefesselt und diesen direkt an den Rand der Klippe gerollt.

Es fehlte nur noch ein kleiner Schubs, und sie würde mitsamt den Hunden tief unten auf die Felsen stürzen.

Ich sagte ja, dass es grausam war.

Die Professorin war eine Weltklasse-Tüftlerin, daher stellte sie die gepanzerten Superanzüge in null Komma nichts fertig. Die Katzen verfolgten das Ganze im LABOR von *Haus Fussel* mit ausgefahrenen Krallen, für den Fall, dass die Professorin irgendwelche Tricks versuchen sollte.

«Bald habe ich tödliche Kräfte! Kräfte, mit denen ich ROBODOG vernichten kann!» erklärte Velma den anderen dreien.

«Wir werden alle Superkräfte haben!», rief Schlitzer.

«Dann heißt es vier gegen einen!», ergänzte Zausel.

«Robodog hat nicht die geringste Chance!», prahlte Pavarotti.

Velma drehte sich zur Professorin um und fletschte die Zähne. «FAUCH!»

«Ich arbeite, so schnell ich kann!», protestierte

diese, während sie ein Raketentriebwerk an einer Waschmaschine befestigte.

In der **POLIZEIHUNDESCHULE** führte Robodog die Verlorene Patrouille unterdessen über den **Paradeplatz**.

«Leckerlis!», rief Drücker. «Ich kann sie riechen, aber nicht sehen.»

«Kein einziges!», beschwerte sich Knorpel.

«Hat jemand ‹Leckerlis› gesagt?», meldete sich Honki zu Wort.

Wie ein Meisterdetektiv fügte Robodog die einzelnen Puzzleteile im Kopf zusammen.

«Man hat also eine Leckerlispur ausgelegt, um die Hunde aus ihren Zwingern zu locken und sie zu hundenappen …», überlegte er.

«Das ist unfair!», murmelte Honki. «Ich wäre auch gern gehundenappt worden.»

«Aber wohin wurden sie gebracht?», fragte sich Robodog.

Von ihrem Ausguck oben auf dem Kopf des Roboterhundes aus suchte Ratti das Gelände mit den Augen nach Hinweisen ab.

«Reifenspuren!», rief sie.

«Gute Arbeit, Ratti», lobte Robodog. «Das sind Reifenspuren von einem Lastwagen! Wir müssen ihnen einfach nur folgen, dann sehen wir, wohin die Hunde gebracht wurden! Hier entlang!»

Mit diesen Worten sauste Robodog die Straße entlang.

SURR!

Die drei Mitglieder der Verlorenen Patrouille schauten ihm nach.

«Also ich müsste längst im Bett sein», sagte Knorpel. «Sagt mir Bescheid, wie ihr vorankommt. Ich muss mich hinlegen. Wir sehen uns dann zum Essen wieder! Einem späten Essen!»

Die anderen beiden sahen sich an und kniffen ihn dann in seine Kehrseite.

«Auf keinen Fall! Knorpel!», sagte Drücker. «Das ziehen wir zusammen durch!»

In *Haus Fussel* waren die Superanzüge der Katzen inzwischen fertiggestellt. Mit einem fiesen Grinsen sprangen die vier in ihre Anzüge.

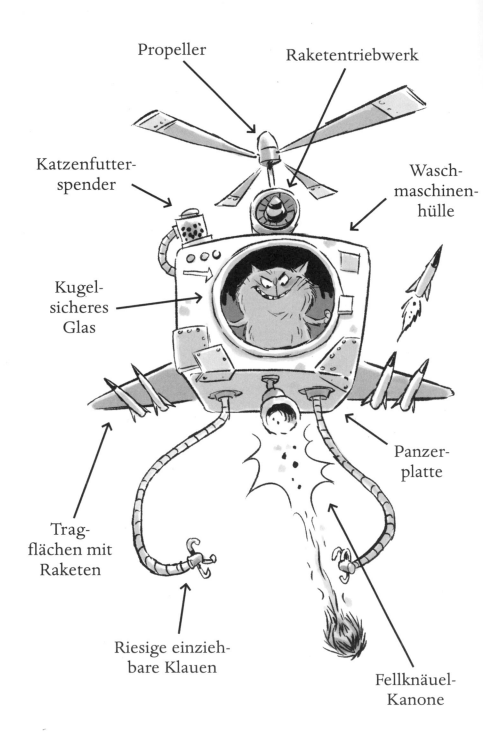

Propeller

Raketentriebwerk

Katzenfutter-
spender

Wasch-
maschinen-
hülle

Kugel-
sicheres
Glas

Panzer-
platte

Trag-
flächen mit
Raketen

Riesige einzieh-
bare Klauen

Fellknäuel-
Kanone

Sobald sie drinsteckten, waren sie nicht mehr einfach nur Katzen, sondern SUPERKATZEN!

Ihre erste Handlung bestand darin, mit der armen Professorin in ihren Metallklauen aus dem **LABOR** zu fliegen.

«NEIIN!», protestierte die Erfinderin, war den vier Superkatzen aber nicht gewachsen. Sie öffneten die Tür des Lastwagens und fesselten sie auf den Beifahrersitz.

«Nicht gerade der ruhige Tag, den wir uns erhofft hatten», murmelte die Chefin.

«Nein!», stimmte die Professorin ihr zu.

«Jetzt können wir Robodog ein für alle Mal vernichten!», rief Velma. «Wir fliegen zur **POLIZEI-HUNDESCHULE** und sprengen ihn in eine Million Metallstücke! **FOLGT MIR!**»

Velma zündete ihr Raketentriebwerk und sauste in den dunkler werdenden Himmel hinauf.

DRÖHN!

Die anderen drei Superkatzen folgten ihr.

DRÖHN! DRÖHN! DRÖHN!

Unterhalb von ihnen saßen die Polizeihunde immer noch im Lastwagen fest. Sie jaulten und **jaulten**, damit jemand, irgendjemand kam und sie rettete. Aber die einzigen Menschen, die sie hörten, waren vorn auf die Sitze gefesselt.

«JAUU! JAUU!»

«ROBODOG!», rief die Chefin.

«Wir brauchen dich! Wo bist du?»

QUIETSCH!

Der Lastwagen schwankte auf dem Rand der Klippe. Ein heftiger Windstoß und sie würden alle als Brei unten auf den Felsen kleben.

In der Zwischenzeit hatten Robodog, Ratti und die Verlorene Patrouille den Stadtrand erreicht. Die Reifenspuren des Lastwagens führten zur Hauptstraße, die mitten durch das Zentrum von **TUMULT** verlief. Die Straße war ein solcher Flickenteppich aus Spuren, dass man unmöglich sagen konnte, in welche Richtung der Lastwagen weitergefahren war.

«Was jetzt?», fragte Ratti.

Aber ehe Robodog antworten konnte, wurde der Himmel von vier Lichtstreifen erhellt.

«Was zum …?», sagte Drücker.

Erst als die Lichter näherkamen, begriff Robodog, um was es sich handelte.

«KATZEN!», rief er. «FLIEGENDE KATZEN!»

«WIR SIND NICHT EINFACH NUR FLIE-GENDE KATZEN!», schrie Velma aus ihrem ge-panzerten Fluganzug. «WIR SIND SUPER-KATZEN, ROBODOG! WIR WOLLTEN ZU DIR IN DIE **POLIZEIHUNDESCHULE** FLIE-GEN! ABER WIE ES AUSSIEHT, HAST DU UNS DEN WEG DORTHIN ERSPART! MACH DICH BEREIT FÜR DEINEN UNTERGANG!»

Mit diesen Worten feuerte sie eine Rakete von den Tragflächen ihres Superanzugs ab.

SAUS!

Sie flog direkt auf die Hunde am Boden zu!

RACHE

Robodog musste sich schnell etwas einfallen lassen.

«Springt auf meinen Rücken!», rief er den anderen Hunden zu.

Drücker, Knorpel und Honki gehorchten.

Die Hunde samt **Ratti** schossen genau in dem Moment in den Himmel hinauf, als die Rakete explodierte.

KABUMM!

«Aua!», schrie Knorpel. «Mein Hintern ist angesengt!» Und das stimmte. Er qualmte sogar. Aber das war im Moment ihre geringste Sorge. Vier lebensgefährliche Super-katzen waren darauf aus, sie zu vernichten.

Weitere Raketen wurden abgeschossen.

WUSCH!

WUSCH!

WUSCH!

«Festhalten!», befahl Robodog,
als er den Geschossen auswich.

FLITZ!

Die Raketen schlugen rund um sie herum in die
Gebäude ein und explodierten in Feuerbällen.

KABUMM!

KABUMM!

KABUMM!

«WARUM?», schrie Robodog. «Warum tut ihr das? Ihr zerstört noch ganz **TUMULT**!»

«Ist mir egal!», rief Velma. «Soll es niederbrennen! Hauptsache, du gehst mit unter, Robodog!»

«Aber ich dachte, wir wären Freunde!»

«FREUNDE?», fauchte die Katze. «*FREUNDE? Katzen verabscheuen Hunde aus tiefstem Herzen, und was könnte schlimmer sein als ein Hund mit Superkräften?*»

«Eine Katze mit Superkräften?», vermutete Drücker, der sich verzweifelt an Robodogs Rücken klammerte.

«Genau!», zischte Velma.

«Wo sind die anderen Hunde?», wollte Robodog wissen.

«Sie sehen zusammen mit deinen lieben Mamis am Rande einer Klippe ihrem Ende entgegen!»

«NEIN!», schrie Robodog. «Bitte! Tu ihnen nichts. Ich flehe dich an!»

«Was kümmert es dich?»

Darüber grübelte Robodog einen Moment lang nach. Doch die Antwort war offensichtlich. «Ich liebe sie!»

Velma schnaubte. «Du bist aus Metall!
Du bist gar nicht fähig, zu lieben!»

«Nein, du bist nicht fähig, zu lieben!», schrie
Ratti.

«Keine Sorge, Kleine», schnurrte Velma. «Du bist
auch bald an der Reihe. Und jetzt, Superkatzen,
feuert ihr auf mein Kommando. **FEUER!**»

Alle vier beschossen die Hunde
mit Fellknäueln.

Die Fellknäuel vergrößerten sich beim Aufprall und bedeckten die Hunde von Kopf bis Fuß. Ein **dichter** Kokon aus dicken, nassen Katzenhaaren legte sich um unsere **Helden**. Robodog konnte nicht mehr fliegen.

«BEREITET EUCH AUF EINE BRUCH-LANDUNG VOR!», rief er.

«NEEEIIIIIIIN!», schrien die anderen, als sie in die Tiefe stürzten.

«Wir müssen uns aus dem Kokon heraus-nagen!», rief **Ratti**.

«Ich nehme doch kein Katzenfell in den Mund!», schrie Drücker.

«Entweder tust du's, oder du stirbst!», erwiderte Robodog.

Er brannte mit seinem Laser ein Loch in den Kokon.

Die anderen benutzten ihre Zähne.

«Das ist ja widerlich!», stöhnte Drücker, die Schnauze voller Katzenhaare.

«Halt die Klappe und schluck's runter!», rief Knorpel.

«Ich mag den Geschmack irgendwie!», bemerkte Honki.

Nur Sekunden bevor sie auf dem Boden aufschlugen, hatten sie den Kokon zweigeteilt. Als Robodog wieder in den Himmel aufstieg, fiel er von ihnen ab.

SAUS!

«Geschafft!», rief Robodog.

«Und jetzt ist es Zeit für ... RACHE!», fügte Ratti an. «Wir werden ihnen nacheinander das Licht ausknipsen.»

«Aber es brennt gar kein Licht», warf Honki ein.

«Darum geht es doch gar nicht!», fauchte Robodog. «Wir müssen sie aufhalten! Ich fliege zu diesem da hinunter ...», sagte er und zeigte auf Pavarotti. Pavarottis Superanzug war wesentlich größer als der der anderen Katzen, weil er aus einer Industrie-Waschmaschine angefertigt worden war.

«Wenn es so weit ist, rufe ich ‹SPRING!› Dann springst du ab, Drücker, und bringst ihn zum Absturz!»

«Warum ich?», fragte dieser zitternd.

«Weil du der Flinkste bist und der Einzige, der den Sprung schaffen kann!»

«Aber ...», protestierte Drücker.

«Kein Aber!»

«Aber ich könnte sterben!»

«Ist es nicht besser, als **Held** zu sterben, denn als Feigling zu leben?», fragte Ratti.

Drücker ließ sich das einen Moment lang durch den Kopf gehen. «Ich wäre eigentlich zufrieden damit, als Feigling weiterzuleben!»

«SPRING!», rief Robodog.

Drücker kniff die Augen zusammen und ließ sich zu Pavarotti hinabfallen.

Ohne Fallschirm stürzte er wie ein Stein in die Tiefe.

WUUUSCH!

Er knallte auf Pavarottis Rücken. Es kam zu einem Luftkampf, auch wenn Drücker nicht mehr zustande brachte, als mit geschlossenen Augen um sich zu schlagen.

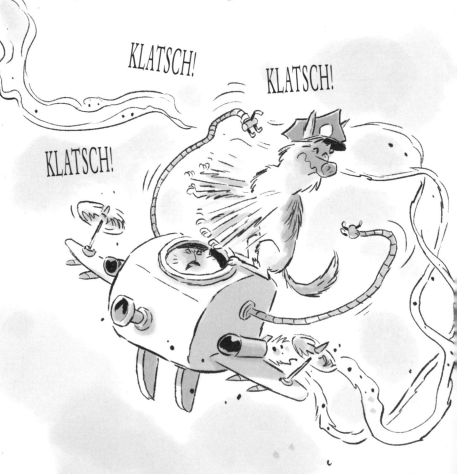

KLATSCH!

KLATSCH!

KLATSCH!

Passend zu Pavarottis Namensvetter (dem berühmten italienischen Opernsänger) trudelten sie zu einer Pizzeria hinab, wo sie durch ein Fenster stürzten.

KLIRR!

Der Superanzug des Katers brach auseinander, als er durch das Restaurant schlitterte.

KRACH!   RUMS!   WACKEL!

Und Pavarotti landete in einem riesigen Bottich voller Tomatensoße.

«MAMMA MIA!», schrie Pavarotti, dem es gar nicht gefiel, in Tomatensoße getränkt zu werden.

Drücker wollte sich gerade ein großes Stück Peperoni-Pizza schnappen, als er am Schwanz in die Luft gezogen wurde.

«Was zum …?»

Knorpel hatte ihn gepackt und hievte seinen Freund wieder auf Robodogs Rücken.

«Gut gemacht, Drücker», trällerte Robodog. «Einen haben wir ausgeschaltet. Bleiben noch drei!»

Aber wenn die Truppe glaubte, sie hätten Grund zu feiern, hatten sie sich zu früh gefreut. Schlitzer war fest entschlossen, die Hunde mit ihren eigenen Waffen zu schlagen. Er stürzte sich in seinem Superanzug hinab und landete geradewegs auf Robodogs Rücken.

KLONK!

Metall traf auf Metall.

Dann stellte sich der Kater auf seine Metallbeine und rang mit den drei Hunden und einer Ratte.

«Er will uns abwerfen!», rief Knorpel.

«Bereitet euch auf euer Ende vor, Hundchen!», zischte Schlitzer.

«Unter meiner Aufsicht stirbt kein Hund», sagte
Robodog.

Er hielt auf eine Brücke zu, die sich vor ihnen
über den Fluss spannte.

«Runter!», rief er nach hinten.

«Meinst du ‹Hosen runter›?», fragte Honki.

«NEIN! DUCKT EUCH!»

«Ein Flugzeug? Wo?»

«Zieh den Kopf ein, um Himmels willen!», befahl Robodog.

Die Hunde taten, was ihnen gesagt wurde, und Robodog sauste direkt unter den Brückenbogen.

WUSCH!

Dabei verfehlte er die Brücke nur um Haaresbreite, Schlitzers Kopf dagegen nicht.

KLONK!

Der Kater kippte von Robodogs Rücken und fiel in den Fluss.

PLATSCH!

«AAAH!», schrie er, als er in der dreckigen braunen Brühe landete.

Immer noch in seinem Waschmaschinen-Super-
anzug wurde er von der Strömung in Richtung
Meer getragen.

SCHWAPP!

Während die Hunde zusahen, wie er flussabwärts
trieb, gab es über ihren Köpfen eine Explosion.

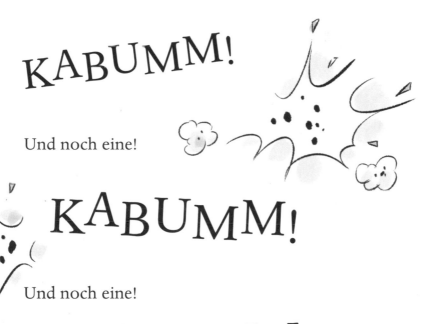

KABUMM!

Und noch eine!

KABUMM!

Und noch eine!

KABUMM!

Die Geschosse der anderen Katzen mussten die
Brücke getroffen haben, die nun ins Wasser stürzte.

PLOTSCH!

Riesige Betonbrocken wirbelten durch die
Luft.

WUSCH!

Einer davon traf ROBODOG.

KLONK!

Er trudelte mitsamt seinen Freunden
zum Fluss hinab.

DIE BÖSESTEN BÖSEWICHTE DER STADT

Mit einem lauten Platsch schlugen unsere **Helden** auf dem dreckigen Wasser auf.

PLOTSCH!

«Aktiviere **Submarobodog**-Modus!» trällerte Robodog.

Im nächsten Moment klappten seine Seitenruder aus und der Propeller surrte.

KLICK! *SURR!*

Während sich **Ratti**, Knorpel, Drücker und Honki noch fester an ihn klammerten, düste Robodog unter Wasser weiter. Um sie herum krachten immer mehr Brückenteile in den Fluss ...

… und sanken auf den Grund.

Robodog raste weiter, bis sie die einstürzende Brücke hinter sich gelassen hatten. Der Roboter konnte **stundenlang** unter Wasser bleiben, die anderen jedoch mussten unbedingt Luft holen. Über sich entdeckte Robodog eine der Superkatzen, die an der Wasseroberfläche lauerte, um zu überprüfen, ob die Hunde ertrunken waren oder nicht.

Um nicht entdeckt zu werden, hielt Robodog unter Wasser an, aber die Luftblasen, die die anderen absonderten, verrieten sie.

BLUPP! BLUPP! BLUPP!

Als Zausel die Luftblasen entdeckte, betätigte er einen Knopf und schoss eine Rakete ins Wasser, um die Hunde zu vernichten!

WUMM!

Honki konnte die Luft nicht länger anhalten. In ihrem Bestreben, an die Oberfläche zu kommen, stieß sie sich von Robodogs Rücken ab – und erwischte dabei versehentlich mit der Pfote einen Knopf.

KLICK!

Es war der Knopf für das Raketentriebwerk.

Urplötzlich schossen sie alle aus dem Fluss und direkt auf Zausel zu.

Unter ihnen ex-
plodierte die Rakete …

KADONG!

Und im gleichen Augen-
blick knallte Robodog mit
der Nase gegen Zausel.

KADUNG!

Nun schossen sie alle
in den Himmel hinauf.
WUSCH!
«ANHALTEN!»,
schrie Zausel.
Aber Honkis Pfote
lag immer noch auf dem
Startknopf des Raketen-
triebwerks. Sie konnten
nicht anhalten. Schon
bald waren sie hoch über
den Wolken und rasten
weiter in Richtung

WELTRAUM!

«DEAKTIVIERE RAKETENTRIEBWERK!»,

befahl Robodog. Aber bei gedrücktem Knopf ging das nicht.

Ich weiß nicht, ob du schon einmal im Weltraum warst, aber dort oben ist es eiskalt! Du brauchst auf jeden Fall einen Pullover.

«B-b-bitte sch-sch-schalte d-das D-D-Ding a-aus!»,

stotterte **Ratti** mit klappernden Zähnen.

«Oh, war ich das? **Ups!**»

Honki nahm ihre Pfote vom Knopf, und Robodog hielt auf der Stelle an. Zausel hingegen war mit so viel Schwung ins All katapultiert worden, dass er einfach weiterflog.

FLITZ!

Der Kater befand sich auf Kollisionskurs mit dem Mond!

«ICH KRIEGE EUCH!»,

schrie er aus dem Innern seines Superanzugs, während er davonschwebte.

Schließlich schlug er auf dem Mond auf.

KNIRSCH!

«UFF!»

Sein Superanzug zerplatzte.

In der Zwischenzeit befanden sich unsere **Helden** im Sinkflug zurück auf die Erde. Beim Wiedereintritt in die Erdatmosphäre wurde die bittere Kälte auf der Stelle von gewaltiger Hitze ersetzt.

«OOOOH!», schrien sie.

Robodog landete in einem großen Springbrunnen auf dem Marktplatz von **TUMULT**.

Alle tauchten ihr brennendes Hinterteil in das kühle Wasser.

«AH!», seufzten sie im Chor.

Doch die Erleichterung war nur von kurzer Dauer, denn über ihnen tauchte ein Schatten auf.

«VELMA!», schrie Robodog.

Die böse Katze schwebte über ihren Köpfen.

«Bevor ihr alle das Zeitliche segnet, will ich euch ein paar Freunde vorstellen, die ich gerade aus dem Gefängnis befreit habe!»

Zwei finstere Gestalten tauchten aus der Dunkelheit auf.

Es waren **GIGA-GRIPS** und **Hammerhand**!

«So trifft man sich wieder, Robodog!», sagte das riesige Gehirn in der Glaskugel, als seine Gehilfin ihn näher heranschob.

«Ich weiß nicht, was du vorhast», sagte Honki. «Vermutlich etwas ganz Übles, aber könntest du noch einen Moment warten? Mein Hinter brennt immer noch.»

«**Hammerhand**!», befahl das Gehirn.

Die Gehilfin wusste genau, was zu tun war. Sie rieb ihre Hammerhände so schnell aneinander, dass sie zu glühen begannen und Funken flogen.

PLING!

Sobald sie kochend heiß waren, presste sie sie der Hündin auf den Hintern.

ZISCH!

«JAAAUUUUUUUL!», heulte Honki, deren Hinterteil nun knallrot glühte.

«Jetzt sieht sie aus wie ein Pavian!», sagte Knorpel vorwurfsvoll.

«HÖH! HÖH! HÖH!», prusteten die Schurken, Velma am lautesten von allen.

Auch wenn Knorpel der faulste Hund der Welt war, ließ der Anblick seiner leidenden Freundin eine wilde Energie in ihm auflodern. Mit einem todesmutigen Satz sprang er **Hammerhand** an.

WUSCH!

«GRRRR!», knurrte Knorpel.

Noch während er in der Luft war, feuerte Velma ein Fellknäuel auf ihn ab.

PENG!

Das Fellknäuel hüllte ihn augenblicklich ein. Unfähig, auch nur einen einzigen Muskel zu bewegen, fiel Knorpel zu Boden.

PLUMPS!

«Da seht ihr es!», verkündete Velma. «Ich bin unschlagbar!»

«HILFE!», ertönte ein erstickter Ruf.

«Wer war das?», fragte Honki.

«Ich – Knorpel!», ertönte die Stimme erneut. «Ich bin in diesem Fellkokon gefangen.»

«Ach ja. Wie ist es so?»

«Ich will ehrlich sein. Nicht schön!»

«MACHT PLATZ!», donnerte Robodog und sandte einen Laserstrahl aus.

Der rote Strahl zerschnitt den Kokon, und im nächsten Moment war Knorpel frei.

«Danke!», sagte der Hund.

«Du bist bloß eine Katze in einer Waschmaschine», sagte Ratti und drohte Velma mit der Pfote. «Spiel dich nicht so auf.»

«Oh! Aber ich habe eine Armee. Eine ganze Armee von Bösewichten. Mit dem Loch, das ich eben in die Gefängnismauern von **TUMULT** gesprengt habe, habe ich *alle* fiesen Verbrecher befreit! Bald werde ich nicht nur in der Lage sein, dich und alle anderen Hunde auf dem Planeten zu vernichten, Robodog, ich werde über DIE GANZE WELT HERRSCHEN!»

«Oh, nein!», sagte Ratti. «Diese Superschurken drehen einfach immer durch!»

Jetzt traten rund um den Brunnen weitere finstere Gestalten aus der Dunkelheit. Es waren die **BÖSESTEN BÖSEWICHTE DER STADT!**

Während sie unsere **Helden** einkreisten, schnurrte Velma: «Ihr seht, es gibt kein Entkommen, Hunde! Ihr seid alle miteinander …

VERLOREN!»

IN UNTERZAHL

Unsere **Helden** hatten gegen die **Super-schurken** keine Chance. Die Hunde, die Ratte und sogar der Roboter zitterten vor Angst, als sie umzingelt wurden. Einem von ihnen entwischte sogar ein kleiner Angstfurz …

PFT!

… aber es war wirklich nicht der richtige Zeitpunkt, um sich darüber zu streiten, wer es gewesen war.

Dr. Stink riss den Mund auf und hauchte ihnen eine grüne Atemwolke aus fauligem Gas ins Gesicht.

WUSCH!

DIE EISKÖNIGIN streckte ihren eisigen Finger aus, um sie für alle Zeiten einzufrieren.

«KOMMT MIR NICHT ZU NAH!»

GIGA-GRIPS trieb wie eine Qualle in seinem Glas.
«Ich denke mir gerade etwas besonders **Fieses** aus!
Moment noch!»

Das Kitzelmonster streckte die lange Arme nach ihnen aus, um sie totzukitzeln.

«NEIIIN!»

DIE MASKIERTE GURKE drehte sich um und feuerte einen Feuerball auf sie ab.

WOMP!

Hammerhand schlug ihre riesigen Hämmer drohend zusammen.

KLONK!

Der Konfektmacher öffnete die größte Pralinenschachtel, die du je gesehen hast.

«Bitte bedient euch! Aber Vorsicht vor denen mit Kaffeegeschmack!»

«Nein! NEIN!
Nicht die mit
Kaffeegeschmack!»

DER ZWEIKÖPFIGE OGER war zu sehr damit beschäftigt, mit sich selbst zu streiten.

«Ich werde sie vernichten!»

«Nein, *ich* mach das!»

«Gleich vernichte ich

dich!»

Professor Kalmar fuchtelte mit seinen Tentakeln, um ihnen **schwarze Tinte** in die Augen zu spritzen.

SPRITZ!

Die Politikerin war voller Staub und
Spinnweben und schwafelte über dies,
das und jenes.

«Am Ende des Tages, wenn alles
gesagt und getan ist, braucht
diese einst so großartige Stadt …
BLA! BLA! BLA!»

«ZZZZ! ZZZZ! ZZZZ!»

Es war einfach unmöglich,
wach zu bleiben!

Der Dicke Dödel schlug
mit seiner riesigen Faust auf
den Boden und verursachte ein
kleines Erdbeben.

R U M P E L !

Die Böse Direktorin trat mit einem Stapel Schulheften vor.

«Diese Hausaufgaben gebt ihr gleich morgen früh ab, oder ihr müsst bis ans Ende aller Zeiten nachsitzen!»

«NEIIIIIIIIIIN!»

DER RIESENWURM tat im Grunde gar nichts, aber das war auch nicht nötig. Er war schließlich ein riesiger Wurm!

«Wir sind in der Unterzahl! Unsere einzige Chance besteht darin, sie auszutricksen!», sagte Robodog.

«Es war schön, euch alle kennenzulernen, aber ich muss mich jetzt verdrücken», flüsterte Drücker.

«Ich wünschte, ich wäre im Bett geblieben», murmelte Knorpel.

«Was bedeutet ‹austricksen›?», fragte Honki.

«Ich weiß, dass ich von uns allen die Größte und Stärkste bin», sagte **Ratti**, «aber diesmal bin ich ganz auf Robodogs Seite. Wir müssen unseren Verstand benutzen!»

«Unseren was?», fragte Honki.

Da sie so klein war, hatte **Ratti** schon immer ihren Verstand benutzen müssen, um zu überleben. In ihrem Gehirn wimmelte es von Ideen, aber schließlich kam ihr ein besonders genialer Einfall.

PLING!

Sie war sicher, die Schurken damit aufs Kreuz legen zu können.

«ZISCHEL!»

Die Bösewichte kamen einen Schritt auf unsere **Helden** zu und beugten sich mit ausgestreckten Armen über sie.

Ratti hob die Pfote. «Tut mir ehrlich leid. Ich will wirklich kein Spielverderber sein, aber ich habe eine kurze Frage, Velma!»

«WAS DENN?», fragte die Katze.

«Als du gesagt hast, du würdest bald über die ganze Welt herrschen, hast du da nur dich gemeint?»

«Na ja», sagte Velma, «ich werde natürlich das Sagen haben, aber ...»

«Aber du bist doch bloß eine Katze!», sagte Knorpel.

«Wie kannst du es wagen!», donnerte Velma.

«Er wagt es wirklich!», bestätigte Drücker.

«Entschuldigt», unterbrach sie **GIGA-GRIPS** aus seiner Glaskugel. «Ich bin so klug, und mein Gehirn ist so groß, dass ich Katzisch, Hundisch und Rattisch sprechen kann. Und ich muss sagen, die Hunde und die Ratte haben nicht ganz unrecht. Ich meine, es wäre schon ein bisschen peinlich, wenn ich, das größte kriminelle Superhirn, das die Welt je gesehen hat, mir von einer Miezekatze etwas vorschreiben ließe.»

Von den anderen **Superschurken** kam zustimmendes Gemurmel.

«Mir macht das nichts aus!», sagte einer der Oger-Köpfe.

«Mir schon!», sagte der andere.

«RUHE!», befahl Velma. «Ich habe euch alle aus dem Gefängnis befreit, schon vergessen? Es steht mir zu, das Sagen zu haben. Ich und nur ich allein werde für alle Zeiten über die Welt herrschen!»

«Oh! Jetzt ist es sogar für immer!», sagte **Ratti**. «Das ist ja völlig DANEBEN!»

«Ich übersetze mal, was die Katze gesagt hat!», sagte **GIGA-GRIPS**.

Kaum war das geschehen, kam von den anderen Bösewichten Protest.

«Ich habe das Leben im Gefängnis geliebt.»

«Drei warme Mahlzeiten am Tag.»

«Donnerstags war Scrabble-Abend.»

«Mein zweiter Kopf und ich hatten nicht mal genug Zeit, um uns einzuleben, bevor wir wieder raus mussten!»

«Und ich habe einen Fluchttunnel gegraben. Zehn Jahre habe ich dafür gebraucht! Und jetzt stellt sich raus, dass es komplette Zeitverschwendung war!»

Velma war so wütend, dass das Bullauge ihres Waschmaschinen-Superanzugs beschlug. Ein kleiner Scheibenwischer wischte das Fenster wieder frei.

QUIE^TSCH! QUIE^TSCH!

«FAUCH!», fauchte Velma und sprühte ein bisschen Spucke auf das Bullauge.

Wieder gaben die kleinen Scheibenwischer ihr jämmerliches Geräusch von sich.

QUIE^TSCH! QUIE^TSCH!

«Was das ‹Wer wird über die Welt herrschen› angeht», nahm **GIGA-GRIPS** den Faden wieder auf, «finde ich, dass ich, als der böseste Bösewicht aller Bösewichte das übernehmen sollte. Alle, die dafür sind, sagen ‹aye›. ‹AYE!› Dann wäre das geklärt!»

Die anderen **Superschurken** waren außer sich.

«NEIN!»

«NIEMALS!»

«DU DOCH NICHT!»

«ICH WERDE ÜBER DIE WELT HERRSCHEN!»

«NEIN, *ICH!*»

«ICH!»

«WAS DIESES LAND BRAUCHT …

BLA! BLA! BLA!»

Hammerhand war keine Frau, die viele Worte machte, also zertrümmerte sie stattdessen mit ihren Hammerhänden die Glaskugel ihres Chefs.

KRACKS!

Die Kugel splitterte und zerbrach dann in eine Milliarde Stücke. Das Megahirn klatschte auf den Boden.

PLOTSCH!

«NEIIIN!», schrie *GIGA-GRIPS*.

Hammerhand rannte hin und versuchte, *GIGA-GRIPS* wieder aufzuheben, aber ihre Hammerhände waren dafür nicht zu gebrauchen.

Das Gehirn verschwand in einem Abfluss.

GURGEL!

«HELFT MIR!», rief **GIGA-GRIPS**. Doch es war zu spät. Er wurde mit einem Schwall Dreckbrühe in die städtische Kanalisation gespült.

Hammerhand brach in Tränen aus.

«BUH! HUH! HUH!»

Als sie verzweifelt die Arme hob, schlug sie sich selbst k. o.

KLONK!

Hammerhand ging glatt zu Boden. DUNG!

«Also, wer ist jetzt der böseste aller Böse-wichte?», fragte Robodog und zwinkerte seinen Hundekollegen zu.

Er wusste, dass er die Schurken damit erst richtig auf die Palme bringen würde.

«ICH BIN DER BÖSESTE!»

«NEIN! ICH BIN DER BÖSESTE!»

«ICH BIN DER BÖSESTE DER BÖSEN!»

«ICH BIN DER BÖSE, BEI DEM SICH ALLE ANDEREN BÖSEN EINIG SIND, SOGAR DIE GANZ BÖSEN, DASS ICH DER BÖSESTE BÖSESTE BIN, DER JEMALS BÖSE WAR!»

Die Stimmen wurden immer lauter. Bösewichte maßen sich mit Bösewichten. Es wurde sogar geschubst und gerempelt und ein bisschen gestoßen.

«Es gibt nur einen Weg, die Sache zu klären!», rief Honki. «KÄMPFT!»

«Genial, Honki!», rief Robodog.

«KÄMPFT!»

Sofort entbrannte unter den Bösewichten eine wilde Balgerei.

SIE KÄMPFTEN, WAS DAS ZEUG HIELT!

Professor Kalmars Tinte spritzte in diverse Augen!

SPRITZ!

«AAAH!»

Große brennende Furzbälle schossen aus dem Hintern der **MASKIERTEN GURKE**.

Dr. Stinks tödlich giftige Wolke aus grünem Gas ließ alle Schurken husten und spucken.

Die böse Schulleiterin begann die anderen mit Schulbüchern zu bewerfen.

KLONK! KLONK! KLONK!

«HAUSAUFGABEN! HAUSAUFGABEN! HAUSAUFGABEN!»

DIE EISKÖNIGIN vereiste **DEN RIESENWURM**, der jetzt aussah wie ein riesiges Wassereis!

KNACKS!

Die Politikerin wurde ge-
zwungen, eine Kaffeepraline
des Konfektmachers zu
essen, und fiel mit Schaum
vor dem Mund zu Boden.

«GURGEL!»

Das Kitzelmonster versuchte, **den Dicken Dödel** totzukitzeln.

«HA! HA! HA!»

Aber es passierte nicht mehr, als dass **der Dicke Dödel** ein bisschen Pipi verlor.

Was den **ZWEIKÖPFIGEN OGER** anging, der kämpfte mit sich selbst.

Die Bösewichte balgten sich so beharrlich, dass die Guten die Chance nutzten, um sich im Dunkeln davonzuschleichen.

Sie mussten ihre Hundekollegen retten!

SCHLEUDERGANG

Auf Robodogs Rücken flog die Truppe im Handumdrehen über **TUMULT** hinweg zum *Haus Fussel*.

«ROBODOG!», riefen die Chefin und die Professorin, als sie sahen, wie er den Nachthimmel erleuchtete. Sie saßen immer noch gefesselt im Lastwagen, der auf dem Rand der Klippe wie eine Wippe auf und nieder schaukelte.

Robodog schwebte neben dem Lastwagen zu Boden.

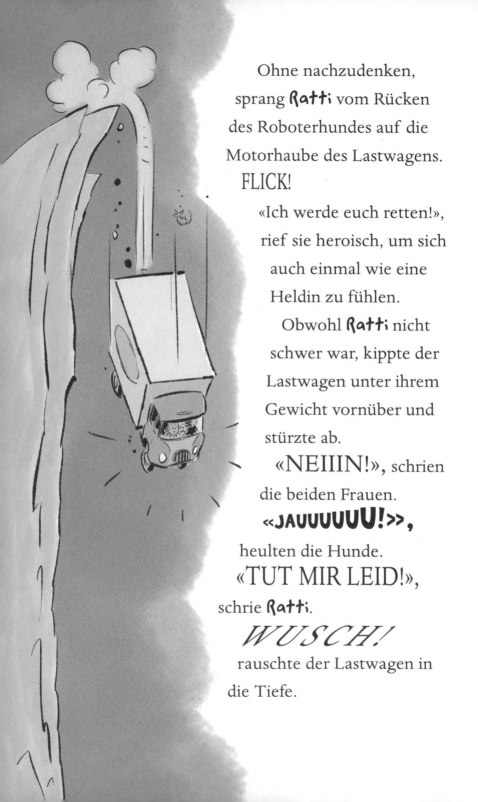

Ohne nachzudenken, sprang **Ratti** vom Rücken des Roboterhundes auf die Motorhaube des Lastwagens. FLICK!

«Ich werde euch retten!», rief sie heroisch, um sich auch einmal wie eine Heldin zu fühlen.

Obwohl **Ratti** nicht schwer war, kippte der Lastwagen unter ihrem Gewicht vornüber und stürzte ab.

«NEIIIN!», schrien die beiden Frauen.

«JAUUUUUU!», heulten die Hunde.

«TUT MIR LEID!», schrie **Ratti**.

WUSCH! rauschte der Lastwagen in die Tiefe.

Ratti rutschte von der Motorhaube und schrie im Fallen ebenfalls.

«AAAH!»

«HALT DICH GUT FEST!», befahl Robodog.

«AKTIVIERE **START-TRIEBWERK!**»

DRÖHN!

Während sich die Verlorene Patrouille an ihn klammerte, schoss Robodog mit Schallgeschwindigkeit hinunter.

«AKTIVIERE **ELEKTROMAGNET!**»

Der Magnet sprang aus seinem Bauch und heftete sich an die Vorderseite des LKWs.

KLONK!

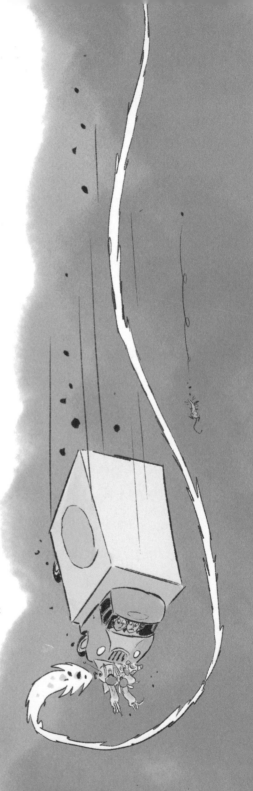

Blieb immer noch **Ratti**, die den Halt verloren hatte und in die Tiefe stürzte. Da öffnete Knorpel das Maul, schnappte nach dem Schwanz der Ratte …

SCHNAPP!

… und konnte sie gerade noch davor bewahren, sich unten auf den Felsen in Rattensaft zu verwandeln.

«PUH!», sagte **Ratti**. «Vielen Dank! Ich wollte wirklich gern in einer Fortsetzung dieser Geschichte auftauchen, falls es die geben sollte!»

Dann flog Robodog die Felswand wieder hinauf und setzte den LKW sicher im Garten des Landhauses ab.

Die Verlorene Patrouille sprang von Robodogs Rücken und machte sich daran, ihre Kollegen aus dem Lastwagen zu befreien.

Die Hunde heulten vor Freude, endlich wieder frei zu sein.

«JAUU!»

Viele rannten sofort zu einem Baum, weil sie nach der langen Zeit des Eingesperrtseins unbedingt pinkeln mussten.

PSSSSSSSS!

Bei all den Hunden, die im Garten herum-
schnüffelten, hielt **Ratti** es für das Beste, sich
außer Reichweite zu halten.

Also kletterte sie auf eine Vogeltränke und beobachtete die fröhliche Szene voller Stolz.

«ACH!», schwärmte sie.

Nachdem Robodog mit seinem Laserauge ihre
Fesseln durchtrennt hatte …

ZAP! ZAP!

… sprangen die Chefin und die Professorin aus
dem Lastwagen und umarmten ihn. Es spielte
keine Rolle, dass er aus Metall war – sie umarmten ihn so **fest** sie konnten.

«Gott sei Dank, dass du zurückgekommen bist»,
stammelte die Chefin.

«Du wirst nicht glauben, was passiert ist!», fügte
die Professorin hinzu.

«Oh! Ich weiß es», sagte Robodog. «Aber wir
dürfen keine Zeit verlieren. Velma hat die bös-
artigsten Bösewichte von **TUMULT** freigelassen!»

«Die Katze hat *was* getan?!», rief die Chefin.

Plötzlich drängten sich alle Hunde um sie, um
zuzuhören.

«Wir müssen zusammenarbeiten und sie aufspüren, verhaften und wieder ins Gefängnis ste-
cken, wo sie hingehören!», rief Robodog. «Im
Moment sind sie abgelenkt, weil sie gegeneinander
kämpfen, aber das wird nicht ewig so bleiben.»

Die Hunde heulten zustimmend.

«JAUU!»

«Vor allem Velma!», meldete sich Ratti von der
Vogeltränke. «Sie gehört für alle Zeiten hinter
Gitter!»

Sämtliche Augen wandten sich dem Nagetier
zu. Einen Moment lang war es ganz still, dann
gingen alle Hunde gleichzeitig auf sie los.

«WUFF! WUFF! WUFF!»
«WUFF! WUFF!»

Sie stellten sich auf die Hinterbeine und versuchten, an Ratti heranzukommen.

«WUFF! WUFF! WUFF!»

«BITTE! HÖRT AUF!», schrie Robodog über das Lärmen hinweg.

Schließlich wurde es still, bis auf ein leises Gewinsel.

«Das ist meine Freundin Ratti. Sie ist eine Maus.»

«Eine was?», kam es von hinten.

«Ihr habt es gehört, sie ist eine Maus. Und ihr habt sie in Ruhe zu lassen.»

«Können wir nicht einfach ein bisschen Fußball mit ihr spielen?», fragte eine andere Stimme.

«NEIN! Ohne Ratti wären wir jetzt nicht hier. Sie ist eine **Heldin!**»

Die Hunde murmelten enttäuscht.

«ALSO WER HAT LUST, EIN PAAR BÖSEWICHTE ZU FANGEN?», trompetete Robodog.

Zustimmendes Bellen ertönte.

«WUFF! WUFF! WUFF!»

«DANN FOLGT MIR!»

Von Abenteuerlust getrieben, rannten die Hunde in null Komma nichts nach **TUMULT**. Der Kampf zwischen den Bösewichten neigte sich gerade dem Ende zu. Alle, bis auf einen, lagen erschöpft am Boden. Der **TUMULTER** Stadtbezirk war bei der Schurkenschlacht komplett zerstört worden. Nur einer der Bösewichte war immer noch auf den Beinen. Es war natürlich **DER ZWEIKÖPFIGE OGER**, der sich nach wie vor ins Gesicht schlug.

KLATSCH! KLATSCH!

KLATSCH!

Der Oger schwankte.

Es folgte ein weiterer Schlag.

KLATSCH!

Dann ging er zu Boden.

PLUMPS!

Nun hatten die Polizeihunde leichtes Spiel. In Dreierteams schleppten sie die Bösewichte einen nach dem anderen zurück ins **TUMULTER** Stadtgefängnis.

«GRRR!»

Robodog war hocherfreut, dass man ihm die Aufgabe anvertraute, Velma ins Gefängnis zu überführen. Als sie die Eingangstür erreichten, wollte die Professorin den Superanzug öffnen und Velma herausholen, damit sie durch die Tür passte. Doch genau in diesem Moment riss die Katze die Augen auf.

«FAUCH!», fauchte sie.

«VELMA!», rief die Professorin aus.

«Ich habe nur so getan, als wäre ich ohnmächtig!», fauchte die Katze. «Und jetzt werde ich euch alle in die Luft sprengen.»

Mit diesen Worten richtete Velma ihre letzte Rakete auf die Truppe.

«Was sollen wir tun, Professorin?», fragte Robodog, während alle Hunde geschlagen die Pfoten hoben.

«Ich weiß es nicht!», rief die Professorin. «Ich entwerfe hauptsächlich Waschmaschinen und keine Anzüge für Superschurken!»

Aber beides sah sich durchaus ähnlich.

«Ich hab's!», rief Robodog. «Schalten wir sie in den Schleudergang!»

«GENAU!», stimmte **Ratti** zu.

Sie sprang von Robodogs Rücken und drückte an Velmas Superanzug auf einen Knopf.

Die Katze begann sich in ihrem Anzug zu drehen. Erst langsam, dann immer schneller und **schneller**.

IUMMMMM!

«AAAAAAAAAAH!», schrie sie.

Aber jetzt konnte ihr niemand mehr helfen.
Sie drehte und drehte und drehte sich.

IUMMMMM!

Das Schleudern wurde so schnell, dass
Velma in ihrem Anzug vom Boden abhob.

WUSCH!

Sie wurde in die Luft geschleudert
und hinauf bis über die Wolken. Dann
schleuderte sie ins Weltall hinaus. Sie
hörte erst auf zu schludern – oh, ich
meine, zu schleudern –, als sie auf
dem Mond aufschlug, wo sie direkt
auf Zausel landete.

KLONK!

Unten auf
dem Planeten Erde
brachen die Hunde in
lauten Jubel aus.

«WOOF!»

Als alle Bösewichte wieder im **TUMULTER** Gefängnis saßen, wandte sich die Chefin an die Hunde. «Gut gemacht, Hunde!», sagte sie. «Heute Abend hat sich jeder Einzelne von euch als **Held** erwiesen!»

«WUFF!»

«Ich habe beschlossen, dass gleich morgen früh eure **Abschlusszeremonie** stattfinden wird!»

Die Hunde konnten es nicht fassen.

«Ihr alle habt eure Prüfungen heute Abend mit Bravour bestanden. Vor allem die Verlorene Patrouille, die ich für ihre Tapferkeit mit Ehrenmedaillen auszeichnen werde!»

«WUFF!»

«Aber der größte Dank gebührt ... ROBO-DOG!»

«WOOF!»,

stimmten die anderen Hunde zu.

Die Chefin, die Professorin und Robodog umarmten sich.

Dabei lief Robodog ein kleiner Öltropfen aus dem Augenwinkel.

«Ich bin nicht traurig. Ich habe keine Ahnung, warum ich weine», sagte er.

«Ich schon», sagte die Professorin und wischte ihre eigenen Tränen fort. «Du weinst, weil du glücklich bist.»

«Oh, nein!», sagte Ratti und brach ebenfalls in Tränen aus.

«Jetzt geht es bei mir auch los! BUH! HUH! HUH!»

DIE ABSCHLUSS- ZEREMONIE

Die Abschlusszeremonie lief wie am Schnür-chen. Alle Rekruten wurden offiziell zu Polizeihunden ernannt, bereit für den soforti-gen Dienstantritt. Umgeben von uniformierten Polizeikräften, die alle begierig darauf waren, einen dieser tapferen Hunde zugewiesen zu bekommen, saß die Professorin stolz in der ersten Reihe. Die Chefin stand auf einer Bühne, die mit kleinen Rampen ver-sehen war, über die die Hunde

hinauf- und hinuntergelangen konnten. Sie gaben der Chefin nacheinander die Pfote und kehrten dann wieder zur Truppe zurück. Nachdem die einhundert Hunde unter begeistertem Applaus bei der Polizei willkommen geheißen worden waren, wandte sich die Chefin einer ganz besonderen Gruppe zu.

Mit strahlendem Gesicht verkündete sie: «Und nun ist es an der Zeit, die höchste Auszeichnung zu verleihen, die einem Polizeihund zuteilwerden kann. Bis vor einiger Zeit waren diese Hunde bekannt als die Verlorene Patrouille ...»

Während sie ihre Rede fortsetzte, machten die drei Hunde betretene Gesichter.

«Wir haben keine Medaille verdient. Ich bin ein Feigling», sagte Drücker.

«Und ich bin faul», ergänzte Knorpel.

«Und ich total belämmert, oder etwa nicht?», fragte Honki. «Ich kann mir das einfach nicht merken.»

Da sprang Ratti von Robodogs Rücken und sprach sie nacheinander an: «Ihr seid nichts von alledem. Drücker, du hast da draußen großen

Mut bewiesen. Du hast gegen Pavarotti gekämpft, die größte und böseste Katze von allen. Das hat mit feige nichts zu tun. Und du, Knorpel, warst alles andere als faul, als du deinen Freund mit einem todesmutigen Sprung verteidigt hast. Und was dich angeht, Honki, du hast den Schurken eingeredet, dass sie ihren Streit nur mit einem Kampf beilegen können. Was bedeutete, dass *wir* nicht gegen sie kämpfen mussten. Wie schlau ist das denn?»

«Gut gesprochen, Ratti!», stimmte Robodog ihr zu. «Genießt eure Medaillen! Ihr habt sie verdient.»

Unterdessen kam die Chefin zum Ende ihrer Rede. «Heißen Sie also mit mir die ehemalige Verlorene Patrouille auf der Bühne willkommen, jetzt ein leuchtendes Beispiel für Tapferkeit, Hingabe und Intelligenz: Drücker, Knorpel und Honki!»

Als ihnen die goldglänzenden Medaillen um den Hals gehängt wurden, schauten die drei lächelnd zu Robodog und Ratti hinüber.

«Und jetzt wird es Zeit, dass unser neuester Rekrut, die Schöpfung meiner ebenso brillanten wie schönen Frau, der Professorin, auf die Bühne kommt, damit auch er offiziell zum Polizeihund ernannt wird. Bitte erheben Sie sich für Robodog …»

Alle, die auf dem **Paradeplatz** versammelt waren, kamen auf die Beine, um dem heldenhaften Roboter stehend zu applaudieren, wie er es verdient hatte.

«Robodog?», rief die Chefin.

«ROBODOG?»

Aber der Roboterhund war nirgends zu sehen.

«Ratti?», rief die Chefin. «Wo ist er hin?»

Doch die Ratte konnte nur mit den Schultern zucken. «Keine Ahnung!»

LIEBE

Völlig niedergeschlagen kehrten die Chefin und die Professorin am Nachmittag in ihr Landhaus zurück. Der große Moment, den die Chefin für die geniale Erfindung ihrer Frau geplant hatte, war ruiniert worden. Noch schlimmer aber war, dass beide das Gefühl hatten, einen großen Verlust erlitten zu haben. Sie hatten einen Teil ihrer Familie verloren. Du kannst dir also ihre Überraschung vorstellen, als sie ins Wohnzimmer kamen und dort Robodog am Feuer sitzen sahen!

«ROBODOG!», riefen sie aus.

Sie stürmten zu ihm und schlossen ihn in die Arme.

«Wir haben uns solche Sorgen um dich gemacht», sagte die Professorin.

«Du hast die **Abschlusszeremonie** verpasst!»,
fügte die Chefin hinzu.

«Ich weiß», sagte der Roboterhund, «aber ich
habe nachgedacht. Und in mich hineingefühlt.»

«Gefühlt?», fragte die Professorin.

«Ja. Gefühlt. Ich habe in meinem kurzen Leben
gelernt, dass Gefühle tiefer gehen als Gedanken.
Ich weiß, das muss sich lächerlich anhören ...»

«Sprich weiter!», drängte ihn die Chefin.

«... aber ich will kein Polizeihund mehr sein. Ich
will einfach nur euer Hund sein. Euer Haus-
tier.»

«Aber warum willst du das?», wollte die Chefin
wissen, «wenn du der größte Polizeihund der
Weltgeschichte sein könntest?»

«Weil ich etwas fühlen möchte, das echte Hunde
fühlen.»

«Und was ist das?», fragte die Chefin.

«Ich glaube, ich weiß es», sagte die Professorin
mit einem Lächeln.

«Na ja ...», sagte der Roboter, «es klingt vielleicht albern, aber ich glaube, das, was ich will ...
ist Liebe.»

«Liebe?»

«Ja. Wenn ich lieben kann und geliebt werde, dann muss ich ein echter Hund sein.»

Die Professorin sah die Chefin an und hob die Augenbrauen.

«Niemand könnte dich mehr lieben als wir, Robodog», sagte die Chefin.

«Und ich liebe euch.»

Robodog war endlich **ein echter Hund**.

SCHLUSSWORT

In der folgenden Nacht wurde Robodog, der am Fußende des Bettes seiner Mütter schlief, von einem Klopfen am Fenster geweckt. Erst als der Hund die Vorhänge zurückzog, sah er, wer es war. Ratti.

Robodog öffnete das Fenster.

«Was willst du um diese Uhrzeit?», fragte der Hund. «Es ist schon nach Mitternacht!»

«Ist alles gut gegangen mit dir und den Frauen?»

«Ja», antwortete der Hund strahlend.

«Ich habe es dir ja gesagt. Ich habe auf dem **Paradeplatz** schön dichtgehalten. Habe nichts verraten.»

«Ich war mir sicher, dass sie gehört haben, wie ich mich im Untergrund davongrabe.»

«Keinen Mucks haben sie gehört!»

«Und warum bist du hier?»

Ratti lächelte. «Na ja, ich weiß, ich bin nur eine unbedeutende kleine Ratte, Maus ...»

«Du musst dich vor mir nicht verstellen. Ich wusste es von Anfang an!»

«Dann eben Ratte», sagte Ratti. «Mein Geheimnis ist aufgeflogen!»

Der Hund kicherte.

«Pssst!», machte die Ratte. «Du weckst die Eltern noch auf!»

«Ach, ja!»

«Also, ich weiß, dass ich nur eine unbedeutende kleine Ratte bin, aber dieser ganze Polizeihunde-Quatsch hat mir gefallen.»

Der Hund lächelte. «Mir auch!»

«Ich habe geahnt, dass du das sagen wirst, deshalb habe ich mich gefragt ...»

«Ja?», erwiderte der Hund neugierig.

«Nun, ich habe mich gefragt, ob du vielleicht ab und zu Lust auf einen kleinen mitternächtlichen Streifengang hättest?»

«Jetzt gleich?»

«Ja! Jetzt gleich. Und morgen Abend wieder.

Und übermorgen. Und in der Nacht danach.»

«OH, JA!», antwortete der Hund.

«Wunderbar! Die Sicherheit auf den Straßen von **TUMULT** muss schließlich gewahrt werden!»

«Durch Robodog, die Zukunft der Verbrechensbekämpfung!»

«Und seine treue Gehilfin **Ratti**, die Ratte.»

«Spring auf!», sagte der Hund.

Die Ratte grinste von einem schmutzigen Ohr zum anderen, als sie auf den Rücken ihres besten Freundes sprang.

«Lass uns ein paar Bösewichte fangen», sagte **Ratti**.

«Ich kann mir nichts Schöneres vorstellen!», erwiderte Robodog.

Er machte einen Satz und schoss schneller als eine Gewehrkugel aus dem Fenster.

SAUS!

Unter sich das von Verbrechen geplagte **TUMULT**, brausten sie über den tiefschwarzen Nachthimmel.

Das Abenteuer rief.

Heute Nacht und für alle Zeiten.